SEGUNDA GUERRA MUNDIAL

CamelotEditora

SEGUNDA GUERRA MUNDIAL

A GUERRA MAIS SANGRENTA DA HISTÓRIA

CLAUDIO BLANC

2ª Edição, 4ª Impressão 2024

Presidente: Paulo Roberto Houch
MTB 0083982/SP
Coordenação Editorial: Priscilla Sipans
Coordenação de Arte: Rubens Martim (capa)
Diagramação: Evelin Ribeiro
Foto de capa: Wikicommons

Vendas: Tel.: (11) 3393-7727 (comercial2@editoraonline.com.br)

Foi feito o depósito legal.
Impresso na China

Dados Internacionais de Catalogação na Publicação (CIP)
(eDOC BRASIL, Belo Horizonte/MG)

B638s Blanc, Claudio.
Segunda Guerra Mundial: a guerra mais sangrenta da história / Claudio Blanc. – Barueri, SP: Camelot, 2020.
16 x 24 cm

ISBN 978-65-80921-07-2

1. Guerra Mundial, 1939-1945 – História. I. Título
CDD 940.5

Elaborado por Maurício Amormino Júnior – CRB6/2422

IBC — Instituto Brasileiro de Cultura LTDA
CNPJ 04.207.648/0001-94
Avenida Juruá, 762 — Alphaville Industrial
CEP. 06455-010 — Barueri/SP
www.editoraonline.com.br

SUMÁRIO

PRELÚDIO À GUERRA

O final da Primeira Guerra e o início da Segunda não foi um período de paz, como se poderia imaginar. O historiador inglês Eric Hobsbawm chama de "Guerra dos 31 Anos" o período que vai de 1914, início do maior conflito militar até então vivido, até 1945, quando o Japão se rendeu, pondo um fim a essa época. Para Hobsbawm, não houve um período de paz, mas um breve interlúdio, como o intervalo entre o primeiro e o segundo tempo de um jogo.

A tensão era provocada principalmente pelas divisões étnicas e sociais resultantes da Primeira Guerra. O final das beligerâncias redesenhou as fronteiras europeias. As novas divisões territoriais trouxeram descontentamento e aumentaram a rivalidade. Em grande parte da Europa, a crise econômica mundial iniciada em 1929 e o temor de uma revolução comunista – como a que tomou a Rússia – pintaram o quadro com cores ainda mais pesadas. Como resultado, parte da Europa, com exceção das monarquias do norte e da Europa Ocidental, foram tomadas por regimes autoritários. Portugal, Espanha, Itália, Rússia, Alemanha, entre outros, passaram a ser governados por ditaduras. Na Alemanha, porém, o regime de ultradireita que se impôs, o nazismo – ou nacional-socialismo – revelaria-se o mais arbitrário de todos, lançando o mundo numa guerra mundial e criando, até mesmo, campos de extermínio para eliminar populações indesejadas.

A Tomada do Poder

Adolf Hitler assumiu o poder em 1933 e logo transformou a Alemanha num Estado totalitário. Todos os direitos civis foram suspensos, os partidos políticos dissolvidos, as greves proibidas e os sindicatos fechados. Com plenos poderes, Hitler partiu para erradicar tudo o que não era alemão da cultura, das instituições e da economia do novo Estado. E sua ira foi dirigida aos judeus. Os judeus e as outras minorias foram declarados inimigos do Estado. Foram perseguidos, tiveram seus bens confiscados e acabaram expulsos do país.

Mas ao mesmo tempo em que esmagava o operariado e os judeus, Hitler não deixou de agradar os principais setores da sociedade alemã. A indústria pesada e os grandes negócios permaneceram intocados, a não ser pela remoção dos administradores e proprietários judeus. Hitler chegou mesmo a colocar industriais proeminentes em posições de poder dentro do seu governo. Na verdade, o setor industrial ficou plenamente satisfeito com os nazistas, uma vez que eles haviam colocado o Partido Socialista na ilegalidade e restringido os sindicatos.

O Exército também apoiou a ditadura nazista. Além da promessa de intensificar o rearmamento, Hitler pôs um fim à ameaça comunista que pairava sobre a Alemanha desde o fim da Primeira Guerra.

Por volta da metade de 1933, quase todos os grupos da sociedade alemã ou haviam sido reprimidos ou estavam mais ou menos satisfeitos. A economia havia retomado o crescimento já no final do ano anterior e a mordaça colocada nos sindicatos possibilitou que os industriais retomassem seus lucros – ao custo dos trabalhadores. Apesar de os nazistas receberem o crédito pela retomada da expansão econômica, isso se devia menos à sua política do que à tendência mundial e às medidas tomadas nos governos anteriores. O desemprego havia diminuído e o terror que assolou a Alemanha na década de 1920 era amenizado. De certa forma, os eleitores que votaram em Hitler esperando lei, ordem e a retomada do crescimento econômico sentiam que tinham feito a escolha certa. Os alemães que não eram nem judeus nem socialistas puderam voltar a viver como antes da Primeira Guerra.

O Terceiro Reich

O Terceiro Reich, o império germânico constituído por Hitler e pelos nazistas, é quase sempre visto como a ditadura de Hitler. Praticamente toda a propaganda estava centrada em Hitler, uma vez que sua popularidade sempre foi maior do que seu partido, que o Exército ou que qualquer outra figura pública ou instituição. Como o partido nazista havia sido fundado sobre um rígido "princípio de liderança", isto é, de absoluta obediência ao líder, a posição de Hitler era intocada. E desde o início, o regime buscou estender essa obediência cega ao Exército, ao Poder Judiciário, ao serviço público e a todas as esferas tanto da vida pública como da privada. O Führer, ou "líder", era sempre a maior referência.

O Terceiro Reich era constituído de quatro blocos de poder que funcionavam mais ou menos independentemente uns dos outros. Mais ainda, eram forças concorrentes, competindo entre si. Havia o partido nazista com todas as suas organizações, como a SS, havia o aparato do Estado, o setor econômico e o Exército. Hitler era a principal engrenagem dessa máquina. O cientista político alemão Karl Bracher, um dos maiores estudiosos do nazismo, sustenta que Hitler obteve seu poder por causa das disputas entre as instituições do Estado e do partido. Hitler era um mediador, uma figura que tramitava em todas as esferas rivais de poder e mantinha o Terceiro Reich funcionando. Oficiais do Exército, membros do partido nazista, do funcionalismo público, empresários e industriais competiam entre si para conquistar o apoio de Hitler com relação às medidas que propunham.

O Estopim

Em 1936, Hitler se aliou com Benito Mussolini, o fundador do fascismo e ditador da Itália. Naquele mesmo ano, a Itália invadiu a Etiópia, e, em 1938, a Alemanha unificou a Áustria e a Região dos Sudetas, a região de predominância alemã na Tchecoslováquia. Aproveitando o movimento europeu, ainda em 1938, o Japão invadiu a região da Manchúria, na China. Essa predisposição levou o país a se aliar à Alemanha e à Itália em 1940, quando a guerra já havia estourado no Ocidente. Estava formado o "Eixo" Berlim, Roma e Tóquio, conforme Mussolini batizou a aliança.

Em busca de realizar seus planos de expansão do Terceiro Reich, em 1938, Hitler anexou a Áustria e transformou os distritos de língua alemã da Região dos Sudetas, uma região da Tchecoslováquia, num protetorado alemão. Não satisfeito, Hitler invadiu a Polônia em 1 de setembro de 1939. Dois dias depois, a Grã-Bretanha e a França declararam guerra à Alemanha. Estava montado o palco onde seria encenado o pior conflito que a humanidade jamais viu.

A Liga das Nações, uma organização mundial formada depois da Primeira Guerra Mundial, semelhante à atual ONU, viu-se sem forças para impedir as agressões. As negociações na arena diplomática se mostraram infrutíferas. Hitler manteve diversas reuniões com o premiê britânico, Neville Chamberlain, para que a paz fosse mantida. Como se fossem senhores do mundo, Hitler e Chamberlain concordaram que a Alemanha iria interromper sua expansão na Tchecoslováquia. Na verdade, a Grã-Bretanha, com as cicatrizes da Primeira Guerra ainda abertas, queria evitar o confronto bélico com a Alemanha.

Hitler, porém, não cumpriu o trato. Em 1 de setembro de 1939, onze meses depois do acordo com a Grã-Bretanha, os nazistas invadiram a Polônia. Dois dias depois, a Grã-Bretanha, a França, a Austrália e a Nova Zelândia declararam guerra à Alemanha. Os alemães não se intimidaram e continuaram sua campanha. A Blitzkrieg, ou "guerra-relâmpago", a estratégia alemã baseada no ataque rápido e de surpresa, tomou a Dinamarca e a Noruega, capturando importantes portos estratégicos. Em meio à crise, Chamberlain resignou e foi substituído por Winston Churchill, em 10 de maio de 1940. Naquele mesmo dia, as forças de Hitler invadiram Luxemburgo, Bélgic e Holanda.

No mês seguinte, em junho de 1940, Mussolini declarou guerra à Grã-Bretanha e à França. A Itália não tinha, porém, cacife para enfrentar os inimigos. Seu exército foi prejudicado pela falta de suprimentos. O país entrou no conflito quase sem tanques. Havia falta de uniformes, alimentos e veículos. Não havia matérias-primas para as fábricas italianas produzirem as armas, tampouco munições necessárias para os combates. Apesar das vitórias iniciais, os italianos amargaram uma série de derrotas na África Oriental e nos Bálcãs.

Winston Churchill

Excêntrico, Churchill era imune à censura alheia. Seu vestuário era uma prova disso. Suas roupas provocaram reações que iam desde o espanto à indignação. Quando o Rei Eduardo VII o fez Conselheiro do Selo Privado, Churchill provocou um escândalo entre os cortesãos ao se apresentar no Castelo de Windsor envergando um fraque visivelmente de segunda mão. Passeando a cavalo com sua mãe, Churchill foi tomado em várias ocasiões por criado dela.

Winston Leonard Spencer Churchill nasceu na Inglaterra em 1874, no Palácio de Blenheim, então propriedade de seu avô, o sétimo Duque de Marlborough. A mãe de Churchill, americana de nascimento, era, segundo o escritor Robert Lewis Taylor, "de uma beleza ofuscante, espírito penetrante e um malicioso senso de humor". Seu pai, o Lorde Randolph, teve no Parlamento uma carreira breve, mas intensa. Mau aluno, desde cedo, ele reagiu contra o estudo. Churchill não gostava de Latim, e se recusou sistematicamente a aprendê-lo durante todo o seu tempo de escola. Ele foi reprovado duas vezes nos exames de admissão à Escola Militar de Sandhurst. Mas, assim que foi aprovado, na terceira tentativa, e entrou para a Escola, passou a se esforçar. Era competente e comportado nas aulas e dedicava a maior parte das noites ao estudo. Ocupou o oitavo lugar em uma classe de 150 alunos.

Em 1897, tendo conseguido uma licença de três meses, convenceu seu amigo, Sir Bindon Blood – que acabava de ser comissionado para a fronteira setentrional da Índia – a deixá-lo participar da expedição como correspondente. O objetivo era sufocar ali uma rebelião da tribo dos Patanes. O *Daily Telegraph* concordou em publicar os despachos.

Suas reportagens fizeram sucesso imediato em Londres, o mesmo acontecendo com o livro *A História da Força Expedicionária de Malakand*, o qual, mais tarde, reuniu essas matérias. O livro valeu a Churchill um lucro líquido equivalente a dois anos de soldo do Exército.

Quando voltou à Inglaterra, Churchill estava resolvido a deixar o Exército e a dedicar-se ao jornalismo. Em 1899, cobriu a Guerra dos Bôeres, na África do Sul. Durante o conflito entre colonos de origem holandesa (bôeres) e britânicos, Churchill foi feito prisioneiro de guerra, mas, ao fim de alguns dias, conseguiu fugir até a África Oriental Portuguesa, o território neutro mais próximo, a quase quinhentos quilômetros de distância.

Assim que voltou à Inglaterra, iniciou sua carreira política, sendo eleito para o Parlamento em 1900, aos 26 anos. Logo de saída, atacou ferozmente um elevado orçamento militar proposto, bateu-se por uma paz condicionada para os bôeres e indispôs de tal modo os seus colegas conservadores que um dia, quando tentou fazer um discurso, todos eles se levantaram e saíram ruidosamente. O episódio, porém, aumentou ainda mais a notoriedade de Churchill. Nas eleições gerais de 1906, aceitou um convite para candidatar-se por uma circunscrição liberal em Manchester. Foi eleito, e como essa eleição também derrubou os conservadores, estabeleceu o liberal Winston Churchill como Ministro de Gabinete. Durante os anos que imediatamente precederam a Primeira Guerra Mundial, Churchill ficou sendo "o político mais odiado do país", como lamentou um de seus biógrafos. Como Subsecretário das Colônias, depois como Ministro do Comércio, e mais tarde como Ministro do Interior, promoveu muitas medidas liberais que ajudaram a Inglaterra a superar a Primeira Guerra.

Herbert Henry Asquith, primeiro-ministro inglês, convidou Churchill para assumir a direção do Almirantado. Churchill aceitou o cargo com entusiasmo e promoveu uma transformação agressiva do Almirantado, inclusive a substituição do carvão pelo óleo como combustível para os navios. Durante a Primeira Guerra, Churchill iniciou a criação de uma arma aérea e instigou uma série de audaciosos ataques aéreos contra as bases de aeronaves e submarinos alemães. Sem alarde, Churchill conseguiu uma verba para a produção de 18 tanques de guerra – o que o torna um dos criadores dessa arma. Quando 48 dessas máquinas foram mandadas para o campo de batalha, em setembro de 1916, os alemães largaram suas armas e fugiram.

Quando terminou a guerra, estava numa situação sem precedentes, ocupando duas pastas ministeriais – a da Guerra e a da Aeronáutica. Entretanto, com a reação do pós-guerra, ele não só foi banido do Ministério, como ainda perdeu a eleição para o Parlamento pela primeira vez desde 1900.

Durante esse intervalo – de 1929 a 1939 – considerado por vezes o período em que esteve "fora do baralho", Churchill ocupou-se principalmente em escrever. Ao observar a ameaça crescente de Hitler, ele advertia que a Inglaterra precisava se armar. Ele denunciou a ameaça nazista em repetidas advertências parlamentares e jornalísticas.

Em 3 de setembro, quando a França e a Inglaterra declararam guerra, Churchill foi chamado para reassumir seu antigo posto no Almirantado. O povo o recebeu com entusiasmo; e durante a leitura do comunicado oficial de que o país estava em guerra, Churchill entrou no Parlamento sob uma ovação da Câmara em peso, que o aplaudia de pé.

Em 10 de maio de 1940, num dos piores momentos que a Inglaterra já atravessou, ele foi eleito primeiro-ministro. Sua liderança foi decisiva. De acordo com o escritor Robert Lewis Taylor, "todos que tiveram contato com Churchill durante a guerra sentiram o vigoroso e enigmático fluxo de coragem que ele despertava". Quando soavam os alarmes, durante os bombardeios, ele esperava obstinadamente que as bombas já estivessem caindo para sair de Downing Street, 10, e depois caminhava a passos lentos, sob a barragem da artilharia, para o abrigo mais próximo, a cerca de um quilômetro de distância. Saía invariavelmente do abrigo antes de acabar o bombardeio, por mais forte que este fosse.

De maio de 1940 a fevereiro de 1945 as responsabilidades de comando envolveram sacrifícios incalculáveis de Churchill. Trabalhava de dezesseis a dezoito horas por dia. No Dia da Vitória na Europa – o grande dia de Churchill e da Inglaterra – ele fez um percurso triunfante da residência do primeiro-ministro, em Downing Street, até à Câmara dos Comuns. Quando o Primeiro-Ministro, afinal, entrou no parlamento para defrontar-se com os legisladores, recebeu a mais tumultuosa ovação da história parlamentar. Seus colegas esqueceram todas as regras de etiqueta e treparam nas bancadas, gritando e agitando papéis. Churchill estava de pé, no seu lugar habitual, junto da Mesa. As lágrimas corriam pelo seu rosto e ele sacudia a cabeça, esperando para exercer o privilégio inestimável de anunciar oficialmente a vitória.

Apesar de tudo, ele não foi reeleito. Dedicou-se novamente à literatura até que, em 1951, foi reeleito primeiro-ministro.

Em 1953, foi nomeado cavaleiro pela rainha da Inglaterra e, no mesmo ano, recebeu o Prêmio Nobel de Literatura por suas Memórias da Segunda Guerra Mundial. Churchill continuou em seu posto até 1955. Faleceu em 24 de janeiro de 1965.

PARTE I
O MUNDO EM GUERRA

A GUERRA-RELÂMPAGO

Acuados diante do poderoso avanço alemão, os franceses esperavam conter os invasores com a Linha Maginot, uma rede defensiva na fronteira entre os dois países. A Maginot, porém, mostrou-se inútil frente à Blitzkrieg. Em 22 de junho de 1940, uma humilhada França assinava o armistício.

Na campanha para conter a invasão da França, os britânicos quase foram derrotados e tiveram de bater em retirada às pressas, em Dunkirk. Nesse episódio, um dos mais marcantes da guerra, até iates de passeio foram utilizados para retirar os soldados. Não fosse o fato de estarem separados do continente pelo mar, os países da Grã-Bretanha teriam sido submetidos, e a guerra teria tido outro resultado. Com a derrota da França, Hitler, então, concentrou sua ira na Grã-Bretanha.

Numa guerra aérea maciça, a Luftwaffe, a Força Aérea Alemã, atacou bases da Real Força Aérea Britânica, a RAF. Por volta de setembro de 1940, os alemães acharam que tinham destruído completamente a RAF e começaram a Blitz, como se chamou a série de bombardeios sobre Londres. Resignados, os britânicos resistiram até os nazistas interromperem a Blitz, em maio de 1941.

África

A campanha do norte da África teve lugar de 10 de junho de 1940 a 13 de maio de 1943, com operações realizadas nos desertos da Líbia e do Egito (Guerra do Deserto), em Marrocos e na Argélia (Operação Tocha), além da Tunísia (Campanha Tunisiana). O esforço aliado foi comandado pelos britânicos e pelos países do Commonwealth. Os Estados Unidos, que entraram na guerra em 1941, passaram a fornecer assistência militar para essa frente a partir de 11 de maio de 1942.

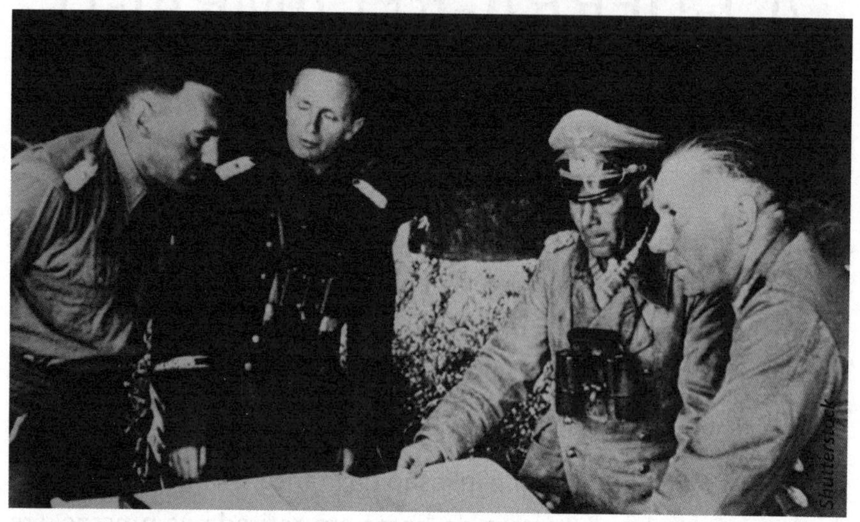

Shutterstock

O marechal de campo Erwin Rommel conferenciando com sua equipe. Ele estava lutando contra os britânicos na Primeira Batalha de El Alamein, em 1942.

Os combates no norte da África começaram com a declaração de guerra dos italianos, em 10 de junho de 1940. Quatro dias depois, a 11ª Companhia de Hussardos do Exército Britânico, auxiliada pelo 1º Regimento Real de Tanques, cruzou a fronteira do Egito penetrando na Líbia e tomando o Forte Capuzzo, controlado pelos italianos. Estes lançaram uma contraofensiva no Egito e capturaram a cidade de Sidi Barrani, no litoral mediterrâneo, em setembro de 1940. Em dezembro do mesmo ano, os britânicos e seus aliados do Commonwealth reagiram lançando a Operação Compasso, uma contraofensiva que destruiu o 10º Exército Italiano. Por conta da derrota italiana, os nazistas assumiram a campanha africana, enviando os Afrika Korps, a força expedicionária alemã criada para esta campanha e comandada por um dos estrategistas mais brilhantes da Segunda Guerra, Erwin Rommel. O objetivo era reforçar as tropas italianas e evitar a derrota do Eixo nesse teatro de operações.

Uma série de batalhas pelo controle da Líbia e de partes do Egito se seguiu com vitórias e derrotas para ambos os lados, sem qualquer perda ou conquista importante para os envolvidos. Durante a Segunda Batalha de El Alamein, as forças britânicas – sob o comando do tenente-general Bernard Montgomery – conquistaram uma vitória decisiva sobre as tropas do Eixo, forçando-as a retirarem-se para a Tunísia. No final de 1942, com o apoio dos americanos, os aliados lançaram a Operação Tocha, durante a qual combateram forças da República de Vichy, que mudaram de lado e passaram a auxiliar os Aliados, os quais cercaram as forças do Eixo no norte da Tunísia e forçaram a rendição. Desse modo, a Operação Tocha cumpriu seus objetivos de assegurar a vitória no norte da África e introduzir as forças armadas americanas na luta contra os nazistas. A operação abriu uma segunda frente de batalha que obrigou o exército alemão a deslocar tropas do front soviético, dando aos russos a oportunidade de se reorganizarem. A vitória dos Aliados no norte da África levou à realização da Campanha da Itália, que culminou com a queda do governo fascista e a eliminação de um importante aliado dos alemães.

Erwin Rommel

O marechal de campo alemão Johannes Erwin Eugen Rommel (1891 – 1944) conhecido como a "Raposa do Deserto", um herói da Primeira Guerra Mundial altamente condecorado, conquistou o respeito não só de seus soldados, mas também dos inimigos. Durante a Segunda Guerra Mundial, ele se destacou como comandante da 7ª Divisão Panzer durante a invasão da França, em 1940. O seu comando das forças italianas e alemãs na campanha do Norte da África colocou-o como um dos mais hábeis líderes da guerra. Sua

O general Erwin Rommel em um jipe no deserto do Norte da África, em 1942.

astúcia lhe valeu o apelido de "Raposa". No final da guerra, esteve à frente das forças alemãs que se opuseram à invasão dos Aliados na Normandia. Considerado um oficial profissional e humano, o Afrika Korps comandado por ele nunca foi acusado de crimes de guerra. Os soldados capturados durante sua campanha na África afirmam que foram bem tratados. As ordens para assassinar soldados civis e comandos judeus eram totalmente ignoradas.

No final do conflito, Rommel foi relacionado à conspiração para assassinar Adolf Hitler. Contudo, como Erwin Rommel era um herói nacional, o Führer tratou de executá-lo sem chamar atenção do público. Assim, ele obrigou o marechal de campo a cometer suicídio, ao ingerir uma pílula de cianureto, do contrário, sua família seria perseguida. Ele recebeu um funeral com honras de Estado. Por ocasião da sua morte, os nazistas divulgaram que ele havia sucumbido aos ferimentos que tinha sofrido num acidente de carro na Normandia.

A Operação Barbarossa

Em março e abril de 1941, os nazistas capturaram a Iugoslávia e a Grécia. Os britânicos se retiraram para a Ilha de Creta, e os alemães orquestraram a primeira invasão por meio aéreo da História, lançando milhares de paraquedistas que tomaram rapidamente a ilha. Apesar de bem-sucedidas, as invasões foram, na verdade, um erro estratégico de Hitler. Ele planejava invadir a Rússia soviética, mas, com o atraso ocorrido por conta da invasão da Grécia e Iugoslávia, os alemães iriam amargar uma campanha realizada durante o terrível inverno russo.

Soldados russos mortos durante a invasão alemã da União Soviética, no verão de 1941.

Operação Barbarossa foi o nome-código da invasão nazista à União Soviética iniciada em 22 de junho de 1941. Ao longo da campanha, cerca de quatro milhões de soldados do Eixo invadiram a União das Repúblicas Socialistas Soviéticas, formando um front de 2,9 mil quilômetros – a maior força de invasão da História. Além do grande número de soldados, os nazistas também empregaram nesse esforço seiscentos mil veículos e cerca de setecentos mil cavalos. A operação foi motivada pelo desejo ideológico de Hitler de conquistar os territórios soviéticos, conforme ele havia estabelecido em seu livro *Mein Kampf*. A invasão marcou a rápida intensificação da guerra e promoveu a formação da coalisão aliada. Muitos críticos afirmam que a Operação Barbarossa foi o maior erro de Hitler.

Antes da invasão, Hitler e Josef Stalin assinaram pactos políticos e econômicos de não agressão. Contudo, Hitler, que certa vez afirmou estar preparado para fazer várias promessas durante o dia para quebrá-las à noite, ordenou que a União Soviética fosse invadida em maio de 1941. Houve, porém, atrasos e a Operação Barbarossa iniciou apenas um mês depois. Imediatamente, os alemães conquistaram vitórias significativas e ocuparam algumas das regiões econômicas mais importantes da União Soviética, principalmente na Ucrânia.

Josef Stalin

Quando Josef Vissarionovich Jugashvili (1878 – 1953) adotou o nome "Stalin", ele sabia bem quem era e o que queria. "Stalin" quer dizer "feito de aço", e foi, de fato, com mãos de aço que Josef conquistou o poder e governou a União Soviética entre 1924 até sua morte, em 1953. Nesse período, ele projetou a URSS à posição de potência mundial.

Desde cedo, Stalin, antigo seminarista nascido na Geórgia, numa família humilde, aderiu ao marxismo e se dedicou ao movimento revolucionário contra a monarquia russa. Antes da Revolução Bolchevique de 1917, ele atuou como ativista durante 15 anos. Foi preso diversas vezes e sentenciado em algumas ocasiões ao exílio na Sibéria. Apesar do seu engajamento, o futuro ditador de aço não teve uma participação proeminente na tomada do poder pelos bolcheviques. Mas Stalin era um negociador nato e não tardou em alçar posições dentro do Partido Comunista. Em 1922 já era secretário-geral do partido, uma posição que, embora não fosse significativa na época, deu a ele chances de construir uma base política a seu favor.

O piloto soviético Boris Safonov, ao lado de seu avião I-16, em 1941. As palavras na aeronave querem dizer: "Por Stalin".

A oportunidade veio em 1924 quando Lênin, o idealizador e fundador da União Soviética, morreu. O país viveu uma verdadeira comoção com a perda do líder. Quem quer que viesse a substituí-lo teria de ser muito próximo a Lênin. Stalin não perdeu a oportunidade de se promover como o herdeiro político do antigo ditador. Manobrou contra seus rivais, desarmando-os politicamente. Stalin organizou o funeral de Lênin e fez um discurso professando lealdade ao líder em termos quase religiosos. Trotsky, seu principal rival na sucessão à liderança do partido, estava doente na época e não compareceu ao enterro. Alguns acreditam que Stalin informou a ele uma data falsa. Com intrigas como essa, Stalin fez com que Trotsky, apesar de ter sido colaborador fiel de Lênin desde os primeiros dias do regime soviético, perdesse prestígio político. Trotsky acabou exilado, indo para o México, onde teve um caso com a pintora Frida Kahlo e terminou assassinado por agentes soviéticos.

Controlando cada vez mais o partido, no final da década de 1920, Stalin já era ditador absoluto da URSS, com domínio total sobre o povo e o país. O stalinismo, como ficou conhecido o tipo de regime que caracterizou sua ditadura, delineou as características do Estado Soviético, desde o início de seu governo até o colapso desse modelo, em 1991.

Uma das suas primeiras medidas para promover o desenvolvimento da União Soviética foi a coletivização da agricultura. A intenção era aumentar a produtividade da terra, através de enormes fazendas mecanizadas. Também visava colocar os camponeses sob controle direto e otimizar a cobrança de impostos. No entanto, a mudança social que isso implicou era drástica. A queda no padrão de vida de muitos camponeses foi enorme. Stalin perseguiu os camponeses mais abastados, os cúlaques, que se opunham à coletivização. Os camponeses que recebiam a classificação oficial de cúlaque, ex-cúlaque, ou que eram acusados de ajudar cúlaques, eram deportados para regiões remotas, ou enviados aos gulags, os campos de trabalho forçado de Stalin, ou até mesmo fuzilados.

As duras demandas do Estado, que confiscavam as colheitas e pouco deixavam para os camponeses, provocou, entre 1932 e 1933, uma fome de proporções devastadoras, o Holodomor, que custou as vidas de cerca de cinco milhões de camponeses ucranianos. Stalin se recusou a enviar os grãos que tinha estocado para socorrer a população. Em lugar disso, continuou a exportá-los para financiar seu programa de industrialização acelerada. A esse preço insano, no final da década de 1930, a URSS já era a segunda maior nação industrial do mundo.

Não bastasse a fome, na década de 1930 Stalin promoveu perseguições aos "inimigos do povo". O Grande Terror, como alguns chamam, foi uma campanha de repressão política e execuções sem precedentes. Qualquer desvio era punido de maneiras incrivelmente drásticas.

Stalin continuou no poder por oito anos depois da guerra. Em 1 de março de 1953, o ditador sofreu um violento derrame cerebral. Seus camaradas mais próximos deixaram deliberadamente de prestar socorro, e cinco dias depois Stalin morreu, aos 74 anos, 29 dos quais à frente da união de repúblicas socialistas que, mais que ninguém, ajudara a consolidar. Em 1957, quatro anos depois da sua morte, os soviéticos colocaram em órbita o primeiro satélite artificial, o Sputnik 1 – uma prova do quanto o ditador transformou seu país, de uma nação agrícola a uma superpotência tecnológica.

Contudo, as perseguições da Era do Terror deixaram o Exército Vermelho enfraquecido. Muitos estrategistas experientes tinham sido eliminados por Stalin. Quando começou a Segunda Guerra, a URSS estava mal preparada para o conflito. A falta de defesa adequada foi um convite para Hitler, que atacou a União Soviética em junho de 1941.

O futuro político de Stalin – e, claro, também o da URSS – estava em jogo. O país enfrentou a maior carga do Wehrmacht, a poderosa máquina de guerra alemã – 75% das forças de Hitler foram deslocadas para a frente soviética – mas o ditador de aço foi capaz de liderar seu país à vitória. Apesar do enorme custo em termos de vidas humanas – 27 milhões de soviéticos morreram nessa guerra – a URSS sob Stalin foi responsável pela contribuição mais decisiva na derrota ao nazismo. O conflito ficou conhecido na União Soviética como "Grande Guerra Patriótica". De fato, o esforço do povo e a vitória garantiram a continuidade da união das repúblicas soviéticas, e Stalin se projetou ainda mais.

A Ofensiva Alemã

A ofensiva provocou um enorme número de baixas, tanto entre os soviéticos como entre os nazistas. Apesar dos sucessos iniciais, os alemães foram barrados nos arredores de Moscou, durante a Batalha de Moscou, e foram rechaçados pela ação soviética. A partir de então, os nazistas não puderam mais realizar uma ofensiva simultânea. O Exército Vermelho sustentou os ataques mais violentos da Wehrmacht e forçou a Alemanha a uma guerra de atrito, para a qual os nazistas não estavam preparados.

Hitler dividiu suas forças enviando parte delas para Leningrado e outra parte para o sul, ao mar Negro. A estratégia foi um erro que levou Hitler a perder a guerra. Em outubro, com a chegada do outono, as chuvas deixaram as tropas alemãs literalmente atoladas na lama dos caminhos. Em dezembro, enfrentando temperatura de -40°C, os nazistas interromperam o avanço. A guerra-relâmpago falhara.

O fracasso da Operação Barbarossa marcou o ponto de mudança nos sucessos do Terceiro Reich. Uma das consequências mais importantes da operação foi a abertura da Frente Oriental, para a qual Hitler precisou enviar grande número de soldados e recursos. Essa frente de batalha foi palco das maiores batalhas, das piores atrocidades e do maior número de óbitos, fatos que influenciaram o curso tanto da Segunda Guerra como da história subsequente do século XX. As forças alemãs capturaram milhões de prisioneiros soviéticos que não receberam as proteções estipuladas nas Convenções de Genebra. A maioria foi morta.

Os nazistas deliberadamente não alimentavam os prisioneiros, levando-os à morte. A estratégia era parte do Plano de Fome, cujo objetivo era reduzir a população da Europa Oriental para ser repovoada por alemães étnicos.

Batalha de Moscou

A Batalha de Moscou ocorreu ao longo de uma linha de combate de seiscentos quilômetros, entre outubro de 1941 e janeiro de 1942. O esforço defensivo soviético frustrou o ataque nazista à capital da União das Repúblicas Socialistas Soviéticas, um dos objetivos militares e políticos básicos das forças do Eixo.

A ofensiva alemã, Operação Tufão, deveria cercar a cidade numa manobra de pinça, na qual uma das alas atacaria o norte de Moscou e outra o sul. Inicialmente, as forças soviéticas realizaram uma defesa estratégica no sul da cidade construindo três cinturões defensivos, empregando forças de reservas recrutadas recentemente e deslocando tropas da Sibéria e dos distritos orientais da União Soviética. A estratégia soviética deteve a ofensiva alemã e, a partir de então, os soviéticos iniciaram uma contraofensiva a fim de repelir as forças nazistas.

No mesmo mês em que os americanos entraram no embate, os soviéticos começaram uma contraofensiva, fazendo os alemães recuarem e impedindo seu avanço para o leste. Na primavera de 1942, Hitler ordenou o cerco a Stalingrado, um dos momentos mais dramáticos do conflito. Enquanto isso, os aliados ganharam posições na África e obrigaram a Itália a se render, em 1943.

O Cerco de Leningrado

O cerco de Leningrado foi um bloqueio militar prolongado promovido pelos nazistas contra essa cidade russa. O cerco teve início em 8 de setembro de 1941, quando a última estrada para a cidade foi tomada. Embora os soviéticos tenham conseguido abrir um estreito corredor para abastecer Leningrado, em 18 de janeiro de 1943, o cerco só foi interrompido um ano depois, em 27 de janeiro de 1944. Foi um dos cercos mais longos e mais destrutivos da História, durando 872 dias, com um custo altíssimo em termos de vidas humanas.

O USS Arizona durante o ataque surpresa japonês, em 7 de dezembro de 1941.

Wikicommons

OS EUA ENTRAM NA GUERRA

Com inimigos em duas frentes, os nazistas fraquejaram. Buscando minar o abastecimento dos aliados, os submarinos alemães bombardearam navios mercantes destinados a suprir os aliados. Em retaliação, os britânicos conseguiram resistir e destruir parte considerável da força naval nazista.

Até o final de 1941, antes de entrarem em guerra, os Estados Unidos colaboravam no esforço contra o Eixo, enviando dinheiro e suprimentos. Nesse esforço, quando o Japão invadiu o norte da Indochina, os Estados Unidos promoveram um boicote ao país. Desse modo, não restou alternativa aos japoneses a não ser lutar contra os EUA, que impediam seus planos de expansão. Assim, em 7 de dezembro de 1941, uma força-tarefa japonesa bombardeou a Frota do Pacífico dos Estados Unidos, estacionada em Pearl Harbor, Havaí.

O ataque a Pearl Harbor foi uma ação surpresa realizada pela Marinha Imperial Japonesa contra essa base naval americana, no Havaí, na manhã de 7 de dezembro de 1941. A intenção do ataque era evitar que a esquadra americana no Pacífico interferisse nas ações militares que os japoneses planejavam realizar no sudeste asiático contra colônias britânicas, holandesas e americanas na região. Contudo, a operação levou à entrada dos Estados Unidos na guerra.

O bombardeio à base americana foi realizado simultaneamente com outros ataques do Japão às Filipinas, controladas pelos americanos, em Guam e à Ilha Wake, pertencentes ao Império Britânico, a Cingapura e a Hong Kong. Segundo Mark Parillo, autor do livro *The United States in The Pacific*, Pearl Harbor foi atacada por 353 caças, bombardeiros e torpedeiros japoneses que partiram de seis porta-aviões. Os oito couraçados americanos ancorados na base foram todos danificados, sendo que quatro deles afundaram. Os japoneses também afundaram ou causaram danos a três cruzadores, três destróieres, um navio de treinamento antiaéreo e um navio minador. Além disso, de acordo com a historiadora e escritora Jennifer Rosenberg, editora do portal americano *About.com*, 188 aviões americanos foram destruídos, 2.403 soldados dos Estados Unidos foram mortos e 1.178, feridos. Contudo, importantes instalações da base, como o gerador de energia, o estaleiro, as oficinas de manutenção, os depósitos de combustível e as docas de submarinos e prédios não foram atacados. Os japoneses tiveram poucas perdas: 29 aviões, cinco submarinos e 65 homens mortos. O ataque provocou um profundo choque nos americanos.

No dia seguinte às operações em Pearl Harbor, os Estados Unidos, a Grã-Bretanha e o Canadá declararam guerra ao Japão. As ações americanas subsequentes levaram, por sua vez, a Alemanha e a Itália a declarar guerra contra os Estados Unidos, em 11 de dezembro do mesmo ano. O rumo da guerra começava a mudar.

Segundo Frederic Sanborn, autor de *Design For War: A Study of Secret Power Politics 1937-1941*, bem como outros autores, os governos americano e britânico sabiam antecipadamente do ataque e deixaram, ou até mesmo teriam encorajado, a ação japonesa a fim de precipitar a entrada dos EUA no conflito. Entretanto, a maior parte dos historiadores, como, por exemplo, Richard Stenvenson, rejeita essa teoria. Como o ataque japonês não foi precedido de uma declaração de guerra formal e sem qualquer aviso, a ação em Pearl Harbor foi considerada crime de guerra.

A Queda da Itália

Em julho de 1943, as tropas aliadas tomaram a Sicília. Numa reviravolta, prevendo o fim iminente, os membros do seu próprio governo imediatamente destituíram e prenderam Mussolini. Em decorrência, já em setembro, a Itália assinou o armistício com os Aliados. Embora o Exército tenha se dissolvido, alguns italianos decidiram continuar uma guerra de partisans, isto é, de forças irregulares, contra a Alemanha.

Em resposta à invasão dos Aliados, os nazistas também buscaram ocupar a Itália. Nesse processo, Mussolini foi libertado pelos alemães e recolocado na liderança de um novo Estado mantido pelos nazistas, a República Socialista Italiana. Contudo, isolado e enfrentando resistência interna, durante o pouco tempo em que recuperou o poder, não fez mais do que executar os antigos associados que o traíram, entre eles seu genro Galezzo Ciano, e escrever suas memórias. Com o avanço dos Aliados no território italiano, Mussolini e sua amante, Clara Petacci, tentaram fugir para a Suíça, mas foram capturados por partisans e fuzilados em 28 de abril de 1945.

Ainda em 1943, os soviéticos venceram a Batalha de Stalingrado. Foi um golpe decisivo contra a Alemanha. Reunindo-se em Teerã, no Irã, o presidente americano Roosevelt, o premiê Churchill e o ditador Stalin debateram estratégias para invadir a Europa ocupada a partir da Normandia, no norte da França. Estabeleceram, então, um plano para a maior invasão por mar a ser executada em toda a História, o Dia D.

Soldados aliados após a invasão da Normandia, em 1944.

Shutterstock

O DIA D

A maior invasão de tropas transportadas por mar da História aconteceu em 6 de junho de 1944, como parte da Operação Overlord, dando início à libertação da Europa Ocidental ocupada pelos nazistas.

Planejada para ter início em 1943, foi precedida de uma campanha de fraude militar cujo objetivo era confundir os alemães sobre a data e o local em que as forças aliadas desembarcariam na costa da Normandia, chamada Operação Guarda-Costas. As condições meteorológicas no Dia D estavam longe de ser ideais, mas não era mais possível adiar a ação, uma vez que a invasão considerava a fase da lua, a maré e a hora em que os desembarques deveriam ocorrer. Tais requisitos ideais ocorriam em apenas poucos dias do mês, o que levaria a um atraso de semanas.

O general Erwin Rommel, provavelmente o maior estrategista alemão da Segunda Guerra, encarregou-se das defesas alemãs, construindo uma linha de fortificações que ficou conhecida como Muro do Atlântico. Não foi, porém, capaz de conter os 176 mil soldados comandados pelo general americano Dwight Eisenhower que desembarcaram na praia de Omaha em 6 de junho de 1944 – o Dia D.

Os desembarques, realizados em veículos anfíbios, foram precedidos por intensos bombardeios às posições alemãs realizados tanto por navios como por aviões. Pouco depois da meia-noite, 24 mil soldados britânicos, americanos e canadenses saltaram de paraquedas atrás das linhas inimigas para capturar pontes e linhas ferroviárias. A infantaria Aliada e as divisões blindadas começaram o desembarque às 6h30. O trecho da costa normanda de oitenta quilômetros, onde os soldados deveriam desembarcar, foi dividido em cinco setores: Utah, Omaha, Gold, Juno e Sword Beach. Ventos fortes desviaram as embarcações a uma posição a leste do planejado. Os homens desembarcaram sob forte fogo a partir de casamatas construídas em pontos estratégicos nas praias. O terreno estava minado e repleto de obstáculos, como estacas de madeira e arame farpado, o que dificultou ainda mais a operação e provocou pesadas baixas. Veteranos descreveram o combate como "uma carnificina".

Os Aliados não conseguiram, porém, realizar todas as suas metas num único dia. De fato, apenas duas das praias, Juno e Gold, foram tomadas no primeiro dia. Apesar dos revezes, os Aliados usaram as praias conquistadas para gradualmente expandir seu controle na região nos meses subsequentes. Os alemães perderam cerca de mil homens no Dia D, enquanto os Aliados tiveram cerca de 4,4 mil óbitos.

No final de junho, cerca de um milhão de soldados Aliados já estavam estacionados na França. Em 25 de agosto, os aliados chegavam a Paris e libertavam a França.

A Operação Market Garden

Apesar da superioridade numérica e do domínio dos ares, o avanço dos Aliados a partir da Normandia foi lento e sangrento. Os soldados alemães já haviam provado ser os melhores de todos e, apoiados pelos incríveis tanques Panther e Tiger, superiores aos equivalentes Aliados, fizeram as forças americanas, britânicas e canadenses sofrer para tomar os campos e as aldeias do Norte da França. Por vezes, as batalhas pelo interior da Normandia foram piores do que as cenas de carnificina na praia de Omaha. Conforme aumentava o número

Aeronaves aliadas jogam paraquedistas na Holanda durante a operação Market Garden.

de mortos, buscava-se desesperadamente um final rápido e decisivo para a guerra na Europa.

Havia, porém, outra motivação importante para se atingir rapidamente o coração do Terceiro Reich: o Exército Vermelho. Embora combatessem o mesmo inimigo, poucos em Washington ou Londres consideravam os soviéticos amigos. Na Conferência de Teerã, no final de 1943, Churchill, Stalin e o presidente americano Franklin Roosevelt discutiram a proposta de uma nova frente na Europa e como ficaria o continente depois do conflito. Churchill temia que os planos comunistas para a Europa Oriental se tornassem realidade. Para o primeiro-ministro britânico, era imperativo chegar a Berlim antes, encerrar a guerra rapidamente e conservar uma força poderosa o bastante para impedir a expansão soviética. Na primeira semana de setembro, os britânicos, no flanco norte da ofensiva aliada, já estavam no interior da Bélgica. Libertaram Antuérpia em 4 de setembro, depois de os alemães tentarem, sem sucesso, destruir o porto, usando bombas voadoras V1 e foguetes V2, que assolaram, sim, grande parte da cidade. Os portos estratégicos de Dieppe, desastrosamente atacados em 1943, e Le Havre, também foram conquistados, embora a alto custo. Ao sul, o 12º Exército Americano, sob o comando do general Omar Bradley, avançava rumo à Alemanha a partir de Paris, enquanto o 6º subia a partir do sul pela República de Vichy rumo à Alemanha, comandada pelo general John Devers. Em seu caminho estava o Reno, fronteira simbólica e geográfica da Alemanha, e a formidável linha de defesa alemã, a Linha Siegfried. Com os suprimentos no fim e uma tremenda barreira no caminho, era necessário elaborar um plano para o comandante supremo dos Aliados, general Dwight Eisenhower, conseguir levar suas forças até a Alemanha e terminar a guerra. Eisenhower procurou Bernard Montgomery. O general britânico concebeu um audacioso plano de avanço por meio da Holanda e, capturando uma série de pontes, flanqueou a Linha Siegfried. O plano, que se baseava na velocidade do avanço dos tanques apoiados por dezenas de milhares de paraquedistas, era arriscado. Contudo, se tivesse sucesso, levaria os Aliados até Berlim e terminaria a guerra até o Natal. O plano de Montgomery foi aprovado e posto em prática com o nome de Operação Market Garden.

Para que a Operação Market Garden tivesse sucesso, era necessário um elemento surpresa: capturar diversas pontes importantes em rios e canais no caminho entre a Holanda e a Alemanha. Sem essas pontes, as forças terrestres não poderiam avançar. No entanto, nas pontes mais importantes e mais defendidas foi dada pouca ênfase à rápida captura. Um dos maiores erros na tentativa de capturar a ponte de Arnhem foi a decisão de fazer apenas um salto no primeiro dia, com o resto dos paraquedistas saltando no dia seguinte. Isso impossibilitou a 1ª Divisão Aerotransportada Britânica de atacar, rápida e eficientemente, a chave do sucesso da operação. As tropas também pousaram muito longe das pontes. Isso deu tempo para os alemães organizarem e aumentarem suas defesas. Outro problema é que apenas metade dos homens que saltaram no primeiro dia foi tomar as pontes, pois os outros tiveram de defender as zonas de pousos para os saltos seguintes.

Em 1948, Eisenhower escreveu: "O ataque começou bem e teria tido sucesso se não fosse o mau tempo". Montgomery afirmou que o mau tempo foi um fator fora do controle dos Aliados, porém, um planejamento melhor poderia tê-lo mitigado. Outro problema foi que a Operação Market Garden teve pouquíssimo tempo para ser planejada. Os desembarques na Normandia no Dia D levaram meses para ser planejados e os detalhes foram verificados muitas vezes até que nada pudesse ser deixado ao acaso. Os planos para a Operação Market Garden foram, porém, feitos em cerca de uma semana. Um melhor planejamento teria permitido que muitos dos problemas que prejudicaram a operação tivessem sido previstos e resolvidos. O apoio aéreo e as comunicações foram dois fatores que afetaram a missão desde o começo. Deveria ter havido mais barcos para as travessias, possibilitando aos Aliados cruzar rios e cursos d'água quando necessário.

Além desses, os Aliados tiveram revezes com a comunicação. A má qualidade do equipamento de rádio acompanhou os britânicos durante toda a Segunda Guerra. A Operação Market Garden não foi exceção. Conforme o historiador Max Hastings colocou: "Os problemas com os rádios que a 1ª Divisão Aerotransportada enfrentou contribuíram significativamente para a sua derrota em Arnhem e representam uma desgraça profissional para o Exército Britânico. A RAF, entre 1942 e 1945, empregou a mais avançada tecnologia do mundo, mas as comunicações sem fio do Exército Britânico não eram eficientes, o que, por vezes, influenciou significativamente o resultado das batalhas". Sabia-se que os rádios usados na operação não eram confiáveis e, mesmo assim, esperava-se que operassem a uma distância maior que seu alcance. Por esses motivos, a operação fracassou.

Contudo, apesar de ter falhado em realizar seu principal objetivo – abrir uma frente na Alemanha por meio do Reno, flanqueando as defesas alemãs a oeste –, não é inteiramente justo dizer que a Operação Market Garden tenha sido um fracasso total. As conquistas feitas ao longo da Rodovia 69 foram mantidas e ficaram conhecidas como Saliência de Nijmegen, que penetrava a quase cem quilômetros na Holanda ocupada. Da mesma forma, a VIII Corps, em ação no flanco direito da XXX Corps, fechou as margens do Meuse até Sambeek, impedindo que os alemães trouxessem reforços pelo rio. Os defensores da operação falaram muito dessas realizações nos anos imediatamente posteriores à Segunda Guerra. Churchill afirmou que a batalha tinha sido uma vitória decisiva e Montgomery declarou que tinha tido 90% de sucesso, com as tropas tomando 90% do terreno que a operação previa tomar – uma afirmação ridícula.

Conforme o brigadeiro John Hackett corretamente observou: "Se não tomássemos todas as pontes, nem valeria o esforço". Até a publicação do livro de Cornelius Ryan, *A Bridge Too Far – The Classic History of the Greatest Battle of World War II*, o valor estratégico e as conquistas da operação eram superestimados. Conforme o historiador Max Hastings: "[A Saliência de Nijmegen] não levou os aliados a nenhum lugar até fevereiro de 1945. Durante oito semanas depois da Batalha de Arnhem, as duas divisões americanas tiveram de lutar para defender o terreno que tomaram em setembro, apesar de, então, ser estrategicamente inútil".

Hitler aproveitou o sucesso que obteve sobre os aliados durante a Operação Market Garden. Num esforço desesperado, o Führer tentou mais uma ofensiva. Reuniu suas forças restantes e venceu a Batalha das Ardenas, entre a Bélgica e Luxemburgo.

A Campanha das Ardenas

Estimulado por sua vitória sobre a Operação Market Garden, Hitler planejou uma ofensiva. Era uma operação ousada, que ia contra o conselho de seus generais. Contudo, ele acreditava que um ataque surpresa com blindados à região das Ardenas podia romper as linhas aliadas, cortando suprimentos e reforços, e quebrando a aliança entre Grã-Bretanha, França e EUA. Oficialmente conhecida como Ofensiva das Ardenas, passou para a História como Batalha das Ardenas.

Hitler identificou as Ardenas como um ponto fraco dos aliados, e tinha razão. As tropas Aliadas estavam exauridas e sua linha de abastecimento era frágil. O Comandante Supremo Aliado, general Eisenhower, identificou a região da floresta das Ardenas, entre a Bélgica, a França e Luxemburgo, como uma área relativamente segura, precisando apenas de um pequeno contingente para defendê-la.

Os suprimentos dos Aliados estavam em estado crítico e grandes portos, como Cherbourg, eram essenciais para o transporte de alimentos, combustíveis e munição. Cherbourg foi tomado durante as invasões iniciais dos Aliados, mas os alemães destruíram, antes de bater em retirada, sua infraestrutura, de modo que, no fim de 1944, o porto não podia ser usado. Antuérpia, porém, tinha sido capturada intacta e era, portanto, um alvo importante.

Hitler acreditava que a aliança entre os inimigos era frouxa. "Países ultracapitalistas de um lado e ultramarxistas de outro", dizia. E os países capitalistas tinham interesses diversos. De um lado, um império em colapso: a Grã-Bretanha. Do outro, uma colônia: os Estados Unidos, esperando receber sua herança. Um ataque determinado no front ocidental, acreditava ele, destruiria essa coalizão artificial de um só golpe.

No entanto, se a situação dos Aliados era problemática, a posição alemã era desesperadora. Hitler dispunha de apenas 55 divisões no front ocidental e enfrentava 96 divisões Aliadas, além de mais dez em movimento. A superioridade aérea dos aliados restringiu demasiadamente a inteligência alemã, enquanto, virtualmente, todos os movimentos alemães eram vigiados. Havia pouquíssimo combustível, pois as campanhas aéreas dos Aliados tinham afetado a produção. Já em setembro, a produção de óleo e gasolina da Alemanha havia caído para 75%.

Contudo, com a convocação de estudantes antes isentos, funcionários públicos não essenciais e soldados feridos, mas que ainda podiam lutar, o Exército Alemão poderia ser reforçado. Devido à retirada, a Alemanha tinha um front menor a defender e suas linhas de suprimento estavam menos distantes. Igualmente, no final de 1944, novas armas estavam sendo produzidas, entre elas, aviões a jato, mísseis V-2, novos submarinos e supertanques. Hitler acreditava que a Alemanha tinha força para uma última grande ofensiva – um ataque às Ardenas, defendidas pelos americanos, que romperia as linhas aliadas, prejudicaria a aliança inimiga e capturaria o porto de Antuérpia, interrompendo as linhas de suprimentos dos Aliados e forçando a Grã-Bretanha e os EUA a buscar a paz independentemente da Rússia.

Bernard Montgomery

O general de campo britânico Bernard Montgomery (1887 – 1976) recebeu, por conta da sua atitude rígida, o apelido de General Espartano. Durante a Primeira Guerra Mundial, da qual tomou parte como oficial de baixa patente, foi ferido por um franco-atirador, tendo seu pulmão direito trespassado pela bala que o atingiu. Mesmo assim, retornou à Frente Ocidental, tomando parte na Batalha de Arras, entre abril e maio de 1917. No período entre guerras, Montgomery comandou 17º Batalhão dos Fuzileiros Reais, depois o 1º Batalhão Real de Warwickshire, antes de se tornar comandante da 9º Brigada de Infantaria até, finalmente, tornar-se general comandante da 8ª Divisão de Infantaria.

Durante a Segunda Guerra, ele comandou o 8º Exército Britânico na Campanha do Norte da África, conduzindo os Aliados à vitória na Tunísia. Sua estratégia garantiu a conquista da Batalha de El Alamein, que marcou a virada na campanha em favor dos Aliados.

Subsequentemente, ele comandou o 8º Exército Britânico durante a invasão da Sicília e, então, coordenou a invasão da Itália.

Na Operação Overlord, o plano de invasão da Normandia, ele comandou todas as forças Aliadas terrestres. Também se atribui a Montgomery o fracasso da Operação Market Garden, plano que ele concebeu para chegar rapidamente ao coração da Alemanha. Depois da guerra, ele comandou o exército de ocupação britânico na Alemanha.

Estratégia

As forças aliadas na região totalizavam 85 mil homens em uma área de 135 quilômetros. Como tanto os Aliados quanto os alemães usavam a região para descanso e reabastecimento de tropas esgotadas, a área tinha se tornado um "front fantasma", com pouca ação. Hitler acreditou que um ataque surpresa poderia romper as linhas aliadas.

O plano de Hitler previa um ataque às Ardenas com três exércitos em um assalto com blindados. O 6° Exército Panzer, do General Josef "Sepp" Dietrich, devia liderar o ataque e capturar o porto de Antuérpia. Dietrich era um dos favoritos de Hitler devido à sua fidelidade cega, mas era menos respeitado por outros generais. Tinha pouca educação militar formal e alguns o julgavam incapaz de comandar um exército. Ninguém, porém, duvidava da sua coragem, e o fato de liderar seus soldados na linha de frente conquistou a confiança dos seus homens.

O 5° Exército Panzer do general Hasso-Eccard Freiherr von Manteuffel capturaria St. Vith, importante centro rodoviário e ferroviário, antes de seguir para Bruxelas. Manteuffel lutou com distinção em ambas as guerras e, como comandante de tanque, era reconhecido por sua habilidade tática.

O 7° Exército, comandado pelo general Adolf Robert Erich Brandenberger, outro oficial condecorado, deveria atacar o flanco sul, impedindo a chegada de reforços americanos. Esse exército era formado por quatro divisões de infantaria, sem blindados. O 15° Exército, do general Gustav-Adolf von Zangen, ficaria de reserva, pois estava esgotado devido a duros combates durante a Operação Market Garden, em setembro de 1944, tendo sido reequipado e reabastecido.

O comando geral era do marechal de campo Walther Model, comandante do Grupo de Exército B, e do marechal de campo Gerd von Rundstedt, comandante-geral do exército alemão no Ocidente.

Além de enfrentar uma linha fraca, o mau tempo previsto para dezembro manteria as tropas no local. O resultado deveria ser uma repetição da campanha francesa de 1940, quando os tanques alemães atravessaram as Ardenas e chegaram facilmente ao canal. Nem todos, porém, estavam convencidos. Tanto Model quanto von Rundstedt achavam que abrir caminho até Antuérpia era difícil devido à falta de recursos (especialmente de combustível), e sugeriram um plano alternativo que ia até o Rio Meuse. Até mesmo o fanaticamente leal Josef "Sepp" Dietrich tinha suas dúvidas. "Hitler quer que eu cruze um rio, capture Bruxelas, siga em frente e tome Antuérpia", reclamou ele. "E tudo isso com um tempo terrível, nas Ardenas, onde a neve chega à cintura e sem espaço para empregar quatro tanques de uma vez, quanto mais uma divisão, com luz apenas entre as 8h e 16h e com divisões formadas recentemente por, principalmente, garotos e velhos doentes e, ainda por cima, no Natal". Hitler, porém, não deu ouvidos. E seu plano foi realizado sem alterações.

Operações Especiais

Três operações especiais foram incluídas no plano. Na Operação Greif, um grupo de alemães falantes de inglês usando uniformes com identificações retiradas de soldados Aliados mortos e de prisioneiros de guerra iria para trás das linhas inimigas e removeria ou alteraria as placas de orientação de tráfego, atrasando o movimento dos Aliados. O grupo seria liderado pelo tenente-coronel Otto Skorzeny, que, no ano anterior, tinha liderado a bem-sucedida missão de resgatar o ditador italiano deposto Benito Mussolini. Quando chegasse o momento de as forças alemãs fazerem a travessia, também capturariam pontes no rio Meuse. Na Operação Währung ("dinheiro" em alemão), espiões subornariam trabalhadores portuários e ferroviários para interromper a linha de suprimentos dos Aliados. A Operação Stösser seria noturna, lançando paraquedistas liderados pelo coronel Friedrich August von der Heydte, que deveriam capturar uma importante junção rodoviária em Malmedy.

Para evitar que os Aliados interceptassem e decodificassem mensagens, as comunicações foram feitas por telefone e telégrafo. Nada relacionado à Ofensiva das Ardenas deveria ser transmitido por rádio. Mesmo assim, a concentração de forças alemãs foi percebida. Patrulhas americanas detectaram mais três divisões na área. Sete divisões de blindados e 13 de infantaria posicionaram-se na região, com tropas e armas vindas da Noruega, Polônia, Prússia Oriental e Áustria. Mais de 1.500 trens de transporte de tropas e 500 carregamentos com suprimentos também foram mandados para o front ocidental, o que incluía 15 mil toneladas de munição. Na floresta, haviam sido escondidos 1.900 canhões e 970 tanques. O comandante da Luftwaffe, Hermann Goering, prometeu mil aviões para dar cobertura, embora ninguém acreditasse que ele cumpriria a promessa.

Soldados de infantaria americanos do 290º Regimento lutam na neve fresca perto de Amonines, Bélgica, em janeiro de 1945.

A OFENSIVA DAS ARDENAS

A Ofensiva das Ardenas começou em 16 de dezembro de 1944, com os alemães otimistas, mas cientes de que tinham muito a fazer. Contudo, menos de um mês depois, no início de janeiro de 1945, a Ofensiva das Ardenas fora interrompida. A 2ª Divisão Panzer fora paralisada perto de Meuse, o Kampfgruppe Peiper fora parado ao norte e os maiores objetivos alemães, a cidade de Bastogne e a Serra de Elsenbom, permaneciam em mãos aliadas. Era o momento de um contra-ataque aliado visando rechaçar a ofensiva e restabelecer o front conforme era no começo de dezembro de 1944.

Um plano foi traçado. O 3º Exército de Patton, ao sul, atacaria o flanco norte e as forças de Montgomery, ao norte, incluindo o 10º Exército Americano, seguiriam para o sul, onde ambos se reuniriam em Houffalize, às margens do rio Our. Tanto Eisenhower quanto Patton estavam preocupados com a falta de homens. O 10º Exército havia perdido mais de 41 mil homens na segunda quinzena de dezembro, apenas 15.295 soldados da reserva foram despachados. Apesar de a ofensiva estar detida naquele momento, se Hitler movesse suas divisões do leste para oeste, as forças aliadas enfraquecidas ficariam vulneráveis. Eisenhower persuadira Washington a acelerar o envio de três divisões de infantaria e blindados Aerotransportadas, mas que não chegariam antes de fevereiro.

George Patton

George Smith Patton Jr. (1885 – 1945), apelidado "Bandito" e "Velho", comandou o 7º Exército dos Estados Unidos nos teatros do Mediterrâneo e da Europa durante a Segunda Guerra e o 3º Exército dos Estados Unidos na ofensiva na França e na Alemanha depois da invasão da Normandia.

Nascido em uma família privilegiada de militares, Patton frequentou a Academia de West Point. Sua imagem colorida, personalidade rígida e sucesso como comandante eram, por vezes, eclipsados pelas suas declarações controversas. Contudo, sua filosofia de comandar suas tropas na linha de frente e sua capacidade de inspirar os soldados com discursos muitas vezes vulgares conquistaram a simpatia de seus homens e do público americano em geral. Como estrategista, enfatizava a ofensiva rápida e agressiva. Enquanto os líderes Aliados tinham diferentes opiniões sobre Patton – das mais elevadas às piores possíveis –, ele era muito considerado pelo alto comando alemão. Depois da guerra, Patton tornou-se o governador militar da Bavária, posto que ocupou durante pouco tempo devido às suas opiniões controversas. O general americano morreu na Alemanha, sem retornar aos Estados Unidos, em 21 de dezembro de 1945, como resultado dos ferimentos provocados num acidente de carro sofrido 12 dias antes.

Início das Operações

Orientado por Patton, o Comandante Supremo Eisenhower queria que Montgomery lançasse o ataque em 10 de janeiro, mas o general britânico estava relutante em comprometer sua infantaria durante o mau tempo, pois estava despreparada. A temperatura se mantinha tão baixa que os caminhões tinham de ser ligados a cada meia hora para evitar que a gasolina congelasse. Assim, a movimentação começou em 3 de janeiro. Eisenhower estava otimista, acreditava que os aliados poderiam subjugar os alemães no bolsão de resistência e seguir para a Alemanha pelas Ardenas.

As forças anglo-americanas realizaram um grande avanço, apesar das constantes brigas entre os generais. Ambos os lados foram afetados pelo frio e gelo, o que complicou o deslocamento dos tanques. Desviar de veículos destruídos sem derrapar ou cair numa vala era tarefa difícil. Em 6 de janeiro, temendo que os alemães retirassem divisões do leste para apoiar seus exércitos nas Ardenas, Winston Churchill escreveu para o líder soviético Josef Stalin apelando para que iniciasse a tão prometida ofensiva. "A luta no front ocidental está intensa", escreveu. "O senhor sabe por experiência própria o quão delicado é ter de defender um front extenso após uma perda temporária de iniciativa. Ficarei muito grato caso possamos contar com uma grande ofensiva russa em janeiro. Considero o assunto urgente". Stalin queria chegar a Berlim antes dos britânicos e americanos e parecia vislumbrar o contra-ataque rumo à Alemanha, lançando, 6 dias depois, uma ofensiva através do rio Vístula.

A 8 de janeiro, as pontas de lança aliadas norte e sul estavam distantes 20 quilômetros uma da outra. A não ser que Hitler retirasse suas forças do bolsão cada vez menor, elas seriam aniquiladas. Como diz o historiador Stephen W. Sears: "O Führer finalmente encarava a dura realidade. Seu grande sonho – Meuse, Antuérpia e o colapso dos Aliados no Ocidente – estava acabado". Todas as forças alemãs a oeste de Houffalize recuaram de Bastogne, sendo novamente detidos a 8 quilômetros da cidade pelo frio e pela escassez de combustível.

Muitos veículos foram abandonados, deixando as estradas repletas de tanques e caminhões. No mesmo dia, os decodificadores aliados interceptaram uma mensagem que ordenava que todos os novos tanques de Ruhr fossem enviados para o leste, indicando que a prioridade de Hitler não estava mais nas Ardenas. A Ofensiva estava encerrada, contudo, a luta seguia firme. A 12 de janeiro, no mesmo dia em que os russos lançavam sua grande ofensiva, três das divisões de Patton emboscaram e destruíram uma força alemã de 15 mil paraquedistas. Contudo, os alemães lutavam com coragem inacreditável para manter aberta sua rota de fuga através de Houffalize, mesmo quando a cidade entrou no alcance da artilharia de Hodges, sendo logo destroçada pela devastadora barragem de fogo.

Os americanos lutaram com igual distinção, embora fossem jovens e inexperientes, carecendo das habilidades necessárias para sobrepujar um inimigo determinado. Patton registrou no seu diário em 13 de janeiro: "A postura das tropas mudou radicalmente. Agora estão plenamente confiantes de que perseguem um inimigo derrotado, apesar de os alemães ao norte e nordeste de Bastogne estarem resistindo com determinação para manter sua rota de fuga".

Após um custoso sucesso na Operação Bodenplatte, os aliados passaram a ter superioridade aérea. Mais de mil voos diários foram realizados nos primeiros 10 dias de janeiro, atacando as colunas alemãs em retirada e destruindo pontes e ferrovias, impedindo a retirada. Em 15 de janeiro, o general Patton despachou unidades de reconhecimento rumo ao norte para, evitando as linhas alemãs, reunir-se ao 1º Exército. Entre as unidades estavam a força-tarefa do major Michael Greene, com 450 homens, tanques leves, blindados, meia-lagartas e jipes. Assim que chegaram a Houffalize, foram localizados, mas conseguiram revidar o ataque e seguir para o norte, onde avistaram uma coluna inimiga. Uma patrulha de reconhecimento logo retornou com notícias de que se tratava da 2ª Divisão Blindada Americana – o contato entre o 10º e 3º Exércitos fora feito. O bolsão de resistência havia sido cortado, aprisionando por volta de 20 mil alemães a oeste.

A Retirada Alemã

As forças alemãs a leste de Houffalize só poderiam recuar para a Linha Siegfried. Foi uma dolorosa retirada feita praticamente a pé sob um frio terrível. Segundo o historiador John Holland: "A moral dos alemães fora quebrada. Nenhum sobrevivente da Ofensiva nas Ardenas acreditava que a Alemanha tivesse a menor chance de vitória. Todos levaram para casa histórias de destruição, da impressionante força aliada e da terrível arma forjada nas Ardenas: o combatente americano". Em 23 de janeiro, St. Vith era capturada no avanço aliado.

Dois dias depois, em 25 de janeiro, os alemães haviam recuado o front para a área anterior à ofensiva. A batalha estava encerrada e o bolsão erradicado. Discursando para a Casa dos Comuns, Winston Churchill prestou homenagens aos aliados americanos. "Esta é, sem dúvidas, a maior batalha dos americanos na guerra", disse, "e será, creio eu, considerada a mais famosa vitória americana".

No final de janeiro de 1945, as forças aliadas fechavam a brecha que fora criada na sua linha de frente durante a Ofensiva das Ardenas. No início de fevereiro, o front oeste estava praticamente no mesmo lugar do começo de dezembro. Então, os Aliados usaram sua vantagem lançando um ataque por todo o front ocidental, com Montgomery ao norte, Hodges no centro e Patton ao sul, todos empenhados em fazer os alemães recuarem. Um ataque maciço fora iniciado na metade de janeiro no front leste, aproveitando a realocação de recursos para as Ardenas, esmagando o que restava das infraestruturas militares e da produção alemã. Se o desembarque do Dia D pode ser considerado o começo do fim do Terceiro Reich, o fracasso da ofensiva das Ardenas terminou esse cruel capítulo. Após três meses, em maio de 1945, o "reino de mil anos" de Hitler ruía em menos de uma década.

É difícil precisar o número de baixas durante a batalha como um todo. Segundo o Departamento de Defesa dos Estados Unidos, houve 80.500 baixas americanas, mas outras estimativas variam entre 70 e 108 mil. Dos dados oficiais de 80.500, 19 mil foram mortos, 47.500 feridos e 23 mil haviam desaparecido. O que ficou claro é que a ofensiva viu o maior número de baixas americanas de todos confrontos da Segunda Guerra. Apesar da participação de outras forças aliadas, a ofensiva foi muito mais uma vitória americana e estes fizeram um enorme sacrifício para alcançá-la.

As baixas britânicas giraram em torno de 1.400. O alto comando alemão registrou 84.834 baixas, outras fontes colocam essa cifra entre 60 e 100 mil. Embora o número de baixas seja muito parecido, seus efeitos foram mais severos para os alemães do que para os Aliados. Reunir tamanha força numa última aposta esgotou suas reservas, privou o front oriental de tanques e simplesmente aniquilou a Luftwaffe. A ofensiva russa, que começara em 12 de janeiro, foi beneficiada com a decisão de Hitler em priorizar as Ardenas no fim de 1944. No front oriental, os russos superavam os alemães em 1 x 6, tanto em número de tropas quanto de tanques, e, consequentemente, avançaram rapidamente em direção à Alemanha nos primeiros meses de 1945.

Tropas do Exército Vermelho durante contraofensiva, em agosto de 1943.

Wikicommons

O AVANÇO SOVIÉTICO

Na frente oriental, os soviéticos, munidos e abastecidos pelos britânicos e americanos, também se prepararam para repelir uma última ofensiva nazista. Nos combates que se seguiram, os soviéticos levaram a melhor. Três mil tanques alemães receberam ordens de bater em retirada. Os soviéticos, então, começaram a avançar em direção à Polônia, onde derrotaram os alemães, em 1945. Depois, o Exército Vermelho expulsou os alemães da Hungria e, em seguida, ocupou a maior parte da Europa Oriental. Com sua ação, os soviéticos contribuíram individualmente mais que qualquer força aliada para a derrota do nazismo.

Cercado, Hitler sabia que tinha perdido a guerra. Enquanto os soviéticos avançavam rumo a Berlim pelo leste, uma coalizão de forças britânicas e canadenses buscava chegar a Berlim pelo norte, e americanos e franceses, pelo centro. No final de abril de 1945, os soviéticos já entravam em Berlim e abriam caminho numa encarniçada guerra de rua para chegar até o centro da cidade, onde estava localizada a chancelaria. No dia 22 daquele mês, durante uma das costumeiras conferências sobre a situação militar que Hitler tinha com seu Estado-Maior, o Führer teve o que alguns historiadores descreveram como um esgotamento nervoso. O evento marcou o momento em que, pela primeira vez, o obstinado líder nazista admitiu que a derrota era inevitável.

A Batalha de Berlim

A Operação de Ofensiva Estratégica de Berlim promovida pela União Soviética foi a última grande ofensiva do Teatro Europeu da Segunda

Guerra. Tendo início em 12 de janeiro de 1945, a Batalha de Berlim, como ficou conhecida, começou quando o Exército Vermelho rompeu a linha alemã em consequência da Ofensiva Vistula-Oder e avançou rapidamente até uma posição a 60 quilômetros a leste de Berlim. A partir de então, dois grupos do exército soviético atacaram a capital alemã em duas frentes: uma ao leste e outra ao sul. Ao mesmo tempo, uma terceira força soviética derrotou as tropas alemãs posicionadas ao norte de Berlim. Então, os soviéticos começaram a penetrar na cidade. A batalha travada em suas ruas durou de 20 de abril até a manhã de 2 de maio de 1945.

Foi uma das batalhas mais sangrentas da Segunda Guerra. As forças soviéticas tiveram 81.116 óbitos durante toda a operação, e 280.251 feridos na ofensiva. Os soviéticos também perderam cerca de dois mil veículos blindados. As estatísticas sobre as baixas alemãs são contraditórias. Enquanto os soviéticos afirmaram ter matado 458.080 e capturado 479.298, os alemães afirmam que o número de mortes ficou entre 92 e 100 mil. Com relação ao número de civis mortos durante a operação, estima-se que tenha sido de 125 mil. Depois de os soviéticos tomarem a cidade, os berlinenses, que já enfrentavam sério problema de racionamento, sofreram com a fome. De acordo com Earl Ziemke, autor do livro *The U.S. Army in the Occupation of Germany 1944-1946*, um mês depois da queda de Berlim, os habitantes recebiam pouco mais da metade das calorias diárias totais necessárias à sobrevivência de um ser humano. Mais de um milhão de pessoas perderam suas casas. Como consequência da tomada da cidade pelas tropas soviéticas, a Alemanha finalmente se rendeu.

Em 7 de maio, o general Alfred Doenitz, que substituiu Hitler, assinou a declaração de rendição incondicional da Alemanha, pondo um fim à guerra na Europa.

O Fim do Führer

Adolf Hitler e sua esposa, Eva Braun, cometeram suicídio quando os soviéticos estavam prestes a entrar no complexo. Embora alguns de seus auxiliares mais próximos tivessem sugerido que ele fugisse e tentasse se esconder nas montanhas da Bavária, Hitler escolheu dar cabo da própria vida. Werner Haase, o médico pessoal do Führer, sugeriu que o líder nazista ingerisse uma cápsula de cianeto e, ao mesmo tempo, desferisse um tiro na própria têmpora. Assim, em 2 de maio, por volta das 14h30, o casal Hitler se retirou para o estúdio do Führer. Segundo algumas testemunhas, às 15h30 ouviu-se um tiro vindo do estúdio. Depois de esperar alguns minutos, o criado pessoal de Hitler, Heinz Linge, e Martin Bormann, chefe da chancelaria, entraram no aposento. Hitler tinha a têmpora direita perfurada por um tiro de pistola. Eva não tinha marcas de ferimento. Tinha usado apenas o veneno.

Churchill Sobre o Suicídio de Hitler

Winston Churchill registrou com as seguintes palavras a morte de Hitler:

"O presidente Truman e eu chegamos a Berlim no mesmo dia. Eu estava ansioso por conhecer um estadista com quem, apesar das divergências, já havia estabelecido relações cordiais por correspondência. Visitei-o na manhã seguinte à nossa chegada e fiquei impressionado com seu estilo alegre, preciso e fulgurante, e com seu visível poder de decisão.

"Em 16 de julho, o presidente e eu percorremos Berlim separadamente. A cidade não passava de um caos feito de ruínas. Não se fizera nenhum anúncio de nossa visita, é claro, e as ruas tinham apenas os transeuntes comuns. Na praça em frente à Chancelaria, no entanto, havia uma multidão considerável. Quando desci do carro e andei por entre os que a compunham, todos começaram a dar vivas, com exceção de um senhor idoso que abanou a cabeça em sinal de desaprovação. Meu ódio se dissipara com a rendição deles. Fiquei muito comovido com suas manifestações, e também tocado com sua aparência abatida e suas roupas surradas. Entramos na Chancelaria. Durante um bom tempo, percorremos suas galerias e saguões em frangalhos. Nossos guias russos levaram-nos, em seguida, ao abrigo antiaéreo de Hitler. Desci ao piso inferior e vi o quarto em que ele e sua mulher haviam cometido suicídio, e, ao subirmos novamente, eles nos mostraram o local em que seu corpo fora incinerado. Ouvimos os melhores relatos disponíveis na época, em primeira mão, sobre o que acontecera nessas cenas finais.

"O curso adotado por Hitler fora muito mais conveniente para nós do que o rumo que eu havia temido. A qualquer momento dos últimos meses da guerra ele poderia ter voado para a Inglaterra e se rendido, dizendo:

'Façam o que quiserem comigo, mas poupem meu povo desorientado.'"

Winston Churchill, *Memórias da Segunda Guerra*

Restos Mortais

Durante décadas, o destino dos despojos de Hitler foi uma incógnita. Em 1969, o jornalista soviético Lev Bezymensky publicou um livro baseado numa autópsia realizada pela SMERSH, o serviço de contrainteligência do exército soviético que antecedeu a KGB. Poucos, porém, acreditaram nos dados fornecidos pelo jornalista. Foi só em 1993, depois da queda do comunismo no leste europeu, que a verdade veio à tona. A FSB, a agência governamental de inteligência que substituiu a KGB, divulgou os laudos das autópsias de Hitler e Eva juntamente a depoimentos de testemunhas, revelando o que aconteceu com os despojos depois que o Exército Vermelho tomou o Führerbunker.

Os soviéticos invadiram o complexo cerca de sete horas e meia após a morte de Hitler, mas foi apenas em 2 de maio que os corpos carbonizados do ditador e de sua esposa foram descobertos na cratera. Junto deles também estavam enterrados dois cães – provavelmente Blondi, a pastora do Führer, e seu filhote Wulf. A autópsia revelou o tiro na têmpora de Hitler e mostrou que sua mandíbula continha cacos de vidro. Os corpos do casal foram enterrados e exumados repetidas vezes pela SMERSH durante o trânsito da unidade de Berlim para Magdeburg, onde foram enterrados permanentemente num túmulo sem marcas. No mesmo local, foram igualmente enterrados os corpos de Goebbels – o qual macabramente resistiu à cremação –, de sua esposa Magda e dos seus seis filhos pequenos. A localização foi mantida em segredo por ordens de Stalin.

Na década de 1970, a instalação onde os corpos jaziam, até então controlada pelos soviéticos, foi devolvida para o governo da Alemanha Oriental. Mas temendo que o local fosse descoberto e se tornasse um centro de culto pelos neonazistas, o diretor da KGB Yuri Andropov ordenou que os despojos fossem totalmente destruídos. No dia 4 de abril, uma equipe da KGB munida de mapas detalhados do local do túmulo exumou os restos de Hitler e dos outros e os cremou completamente. Em seguida, as cinzas foram jogadas no rio Elba, o lugar definitivo de repouso do homem que promoveu a destruição da Alemanha e de grande parte da Europa.

Mesmo após a divulgação da autópsia e da revelação do destino dos restos mortais de Hitler, os boatos continuaram. Em 2000, numa exibição aberta ao público, o FSB expôs um fragmento de crânio humano mantido em seus arquivos. O pedaço de osso seria, segundo a agência, tudo o que restou do corpo de Hitler. Muitos historiadores e pesquisadores duvidam da autenticidade do fragmento.

A dúvida sobre o destino dos despojos do ditador nazista permanece. A memória de Hitler, porém, continua tão viva como nunca deixou de estar.

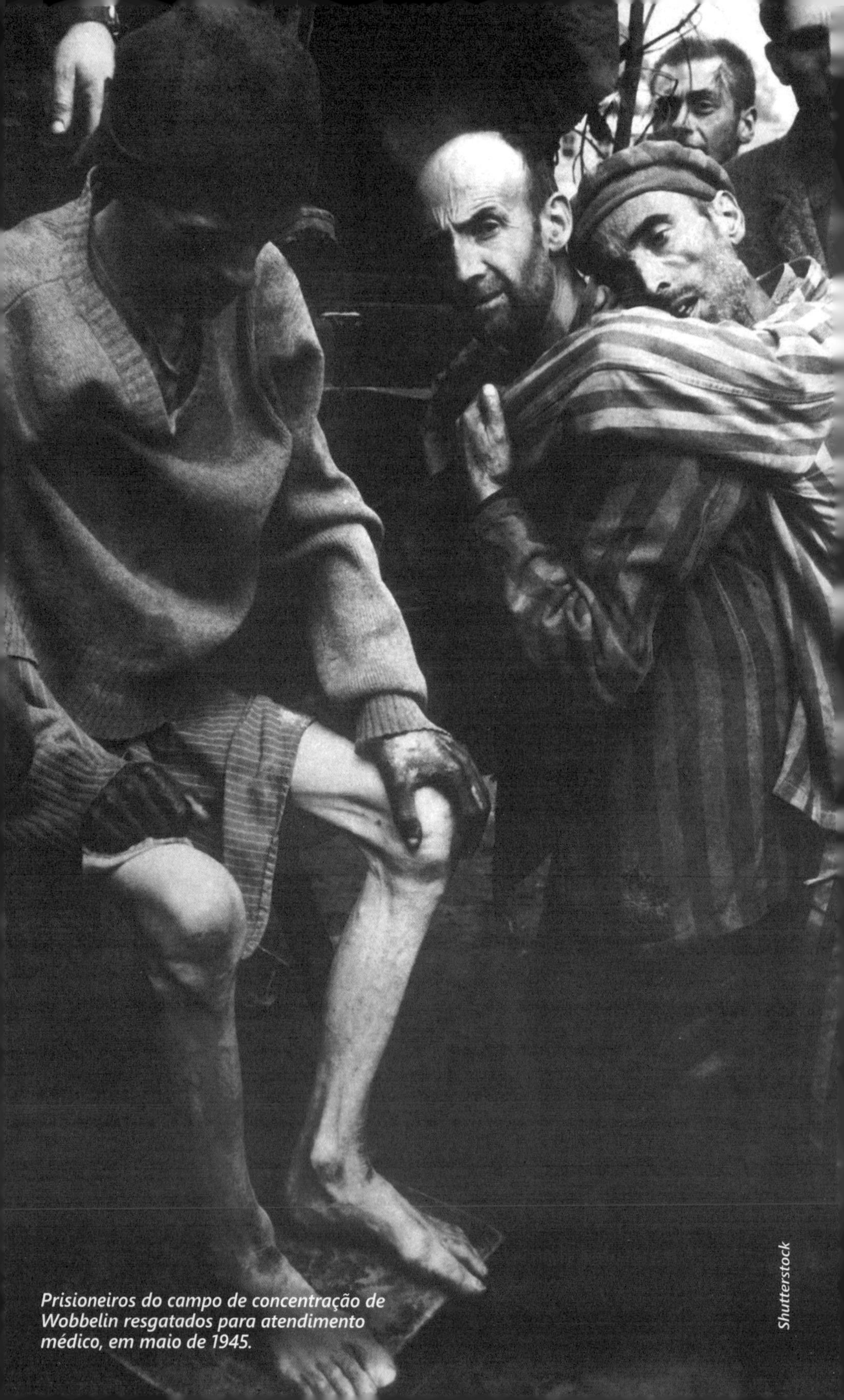

Prisioneiros do campo de concentração de Wobbelin resgatados para atendimento médico, em maio de 1945.

Shutterstock

O HOLOCAUSTO

O Holocausto é o resultado direto do ódio ideológico dos antissemitas nazistas por uma "raça" que consideravam não apenas inferior, mas radicalmente prejudicial e perigosa. Os judeus eram vistos como "piolhos" e "vermes"[1], excluídos da humanidade. Para os nazistas, os semitas não tinham lugar na Terra – especialmente nos territórios ocupados pelo Reich. Com efeito, o antissemitismo foi uma das principais marcas do nacional-socialismo alemão. Por conta dessa ideologia, os judeus foram assassinados em massa em todos os territórios ocupados, submetidos a trabalhos forçados, obrigados a enfrentar subnutrição em guetos e forçados a morrer por asfixia nas câmaras de gás de campos de extermínio especialmente construídos para esse fim.

Contudo, os judeus não foram as únicas vítimas do Holocausto – embora, certamente, tenham sido os maiores sacrificados. O Terceiro Reich também exterminou maciçamente os deficientes mentais, homossexuais e outras etnias não arianas consideradas inferiores. Suas campanhas genocidas com gases venenosos durante o Aktion T4[2] precederam e prenunciaram o extermínio dos judeus em toda a Europa. As populações civis eslavas, notadamente a polonesa e a soviética, também sofreram perdas significativas causadas por crimes de guerra e massacres. Mas apenas o genocídio dos judeus

1 Élisabeth Roudinesco, *Retour sur la question juive*, Albin Michel, 2009.

2 Nome dado, após a Segunda Guerra Mundial, à campanha de extermínio de adultos com deficiência física e mental pelo regime nazista, de 1939 a agosto de 1941, e que fez entre 70 e 80 mil vítimas.

foi realizado de forma sistemática e implacável, até os últimos dias dos campos de extermínio, em 1945.

O massacre dos judeus e de outras populações durante a Segunda Guerra Mundial se distinguiu por seu caráter industrial, burocrático e sistemático – o que torna a ação genocida nazista única na história da humanidade. De fato, o Holocausto é o paroxismo do antissemitismo. Esse esforço genocida buscou eliminar uma população que não apresentava ameaça militar ou política, exceto na imaginação dos carrascos. Mulheres, crianças (incluindo recém-nascidos) e idosos eram sistematicamente caçados e condenados à morte em massa tanto quanto os homens adultos. Em particular, 1,5 milhão de crianças foram vitimadas nesse processo hediondo. O extermínio físico dos judeus também foi precedido ou acompanhado por sua espoliação sistemática por meio de uma ação denominada de arianização [3], bem como pela destruição de uma parte considerável de sua herança cultural e religiosa.

Perpetrado sob as ordens de Adolf Hitler, o Holocausto foi realizado principalmente pela SS[4] e pela RSHA[5], órgãos comandados por Heinrich Himmler (1900 - 1945), um dos principais líderes do NSDAP [6], bem como por parte da Wehrmacht e por muitos especialistas e burocratas do Terceiro Reich. Embora os nazistas sejam os grandes vilões desse esforço impensável, o genocídio foi promovido com a cumplicidade individual e coletiva de toda a Europa, especialmente dos movimentos colaboracionistas de inspiração fascista ou nazista, e por parte de governos ou administrações que fizeram a escolha da colaboração estatal. A ignorância inicial e a indiferença passiva de muitos também permitiram sua realização.

3 A arianização era a total expropriação dos judeus da Alemanha, da Áustria e de toda a Europa ocupada durante o período do nazismo, bem como a supressão da vida religiosa, cultural ou científica dos judeus.

4 *Schutzstaffel* – em português, Força Armada (N. do E.).

5 *Reichssicherheitshauptamt* – em português, Gabinete Central de Segurança do Reich (N. do E.).

6 *Nationalsozialistische Deutsche Arbeiterpartei* – em português, Partido Nacional Socialista dos Trabalhadores Alemães (N. do E.).

Por outro lado, muitas pessoas anônimas, quase sempre arriscando suas vidas, dedicaram-se a salvar os perseguidos. Após a guerra, várias delas receberam de Israel o título honorário de "Justos entre as Nações". Entre esses heróis anônimos estão os brasileiros Luiz Dantas, cônsul em Paris que, contrariando as instruções do Itamarati, emitiu vistos para judeus, e Aracy Guimarães Rosa, viúva do grande escritor João Guimarães Rosa, que usou sua influência de secretária do Consulado Brasileiro em Hamburgo para conseguir vistos de entrada no Brasil para judeus perseguidos.

O horror do Holocausto levou, no pós-guerra, ao desenvolvimento de conceitos legais, como o de "crime contra a humanidade" e de "genocídio". Esses crimes foram considerados imprescritíveis pela Convenção Sobre a Imprescritibilidade de Crimes de Guerra e Crimes Contra a Humanidade, adotada pelas Nações Unidas em 1968, e esses conceitos foram utilizados posteriormente em outros contextos, como, por exemplo, na classificação do genocídio dos armênios pelos turcos na Primeira Guerra Mundial. O Direito Internacional Humanitário também foi complementado com a adoção das Convenções de Genebra de 1949, que protegem a população civil em tempos de guerra. As Convenções de Genebra anteriores, promulgadas em 1929, e que estiveram em vigor durante a Segunda Guerra Mundial, diziam respeito apenas a combatentes feridos, doentes ou capturados.

Por causa de seu caráter único, impensável – especialmente por ter sido promovido por um dos países mais avançados de seu tempo, pátria de filósofos e de homens de ciência –, o Holocausto é um dos eventos mais significativos e estudados da história contemporânea. Seu impacto moral, histórico, cultural e religioso tem sido imenso, principalmente desde as décadas de 1960 e 1970, quando seu estudo foi aprofundado. Além da investigação histórica, o Holocausto produziu reflexões sobre as muitas questões colocadas na consciência humana oriundas da natureza e do horror excepcionais desse genocídio.

Crime Contra a Humanidade

Em sua obra *The Destruction of the European Jews* (Yale University Press, New Haven, 2003), o historiador judeu-americano e cientista político de origem austríaca Raul Hilberg (1926 – 2007) analisa o Holocausto como um processo cujas etapas são a definição do que é ser judeu, sua expropriação, sua concentração física e, finalmente, sua destruição.

O primeiro passo desse processo é a lei sobre a restauração do serviço público de 7 de abril de 1933 (*Gleichschaltung*), que visa a eliminação pelo Estado Nacional-Socialista de todos os oponentes do regime e, em primeiro lugar, dos judeus. A lei estipulou a aposentadoria forçada de todos os funcionários não arianos. A partir daí, os judeus passaram a ser definidos pela lei nazista de acordo com a religião de seus ancestrais e da sua própria confissão religiosa. Qualquer pessoa com três ou quatro avós judeus era considerada judia. Uma pessoa com dois avós judeus também era considerada judia se ela própria fosse da religião israelita ou se fosse casada com uma pessoa dessa fé. Se não fosse esse o caso, ou se a pessoa tivesse apenas um avô judeu, ela era colocada numa categoria específica, o *Mischlinge* (em português, mestiços).

A definição de *Mischlinge* foi, porém, interrompida em 1935, com a promulgação das chamadas Leis de Nuremberg, que endureciam ainda mais o tratamento aos israelitas. Desde então, os judeus ficaram sujeitos a medidas discriminatórias relativas a não arianos. A contar do outono de 1941, os judeus na Alemanha tiveram que usar uma estrela amarela, um sinal também tornado obrigatório em 1942, nos territórios ocupados da Europa, onde os nazistas imediatamente identificaram e discriminaram a população judaica.

Como regra geral, as Leis de Nuremberg foram rapidamente introduzidas nos países conquistados e ocupados pelos nazistas. Contudo, várias nações europeias adotaram sua própria legislação antissemita antes da guerra, notadamente a Itália fascista de Mussolini, em 1938, a Hungria, a Romênia e a Eslováquia. Na França, o governo de Vichy estabeleceu um status discriminatório para os judeus. Num primeiro momento, essas disposições não tinham um objetivo homicida em si mesmas, mas predispuseram esses governos a colaborar em futuras deportações. Ao isolar e enfraquecer os judeus nacionais e estrangeiros, eles se tornaram vulneráveis quando os nazistas decidiram pelo extermínio generalizado.

Outro aspecto das Leis de Nuremberg era a desapropriação. A desapropriação assumiu a forma de incentivos muito fortes para os judeus venderem os negócios que eles possuíam, num processo denominado de arianização. Posteriormente, a partir de 1938, as vendas das propriedades de judeus se tornaram legalmente obrigatórias. A concentração dos judeus alemães em prédios reservados especialmente para esse fim começou a partir de abril de 1939. Essa fase de expropriação também foi implementada com variações devido às circunstâncias locais em todos os países da Europa sob o domínio nazista.

A expropriação teve seu momento mais duro em 9 de novembro de 1938, durante a chamada Noite de Cristal – um pogrom organizado por oficiais nazistas. Naquela noite, em toda a Alemanha, 91 judeus foram assassinados e 30 mil internados em campos de concentração; centenas de lojas foram destruídas e dezenas de sinagogas incendiadas. Este evento marca uma escalada ainda maior na política antissemita. Meses depois da Noite de Cristal, em 30 de janeiro de 1939, no sexto aniversário de sua tomada do poder, em um discurso retumbante diante do Palácio do Reichstag – o prédio do Parlamento Federal alemão –, Hitler faz menção à "aniquilação da raça judaica na Europa"[7].

Contudo, naquele momento, isto é, antes da guerra, o objetivo era expulsar os judeus por meio de uma perseguição cada vez mais radical. A lista de negócios proibidos continuou a crescer e de forma ainda mais enérgica, as perseguições e proibições também: toda a

7 Édouard Husson, *Heydrich et la solution finale*, Paris, Perrin, 2012.

vida normal se tornou praticamente impossível para os judeus, a fim de forçá-los a emigrar do Reich. Mas muitos se recusaram a deixar seu país e, a partir de 1938, a expansão territorial nazista acabou por colocar esta política num impasse: a cada nova conquista de territórios, o Reich absorvia ainda mais judeus do que os que já estavam dentro de suas fronteiras.

Foi esse o caso quando a Alemanha nazista anexou a Áustria, em março de 1938. Ao *Anschluss* [8], seguiu-se uma explosão de brutalidade contra os judeus austríacos, que foram atacados, espancados, assaltados ou humilhados não só em seus redutos, mas até mesmo nas ruas. Com a invasão da Polônia, em setembro de 1939, mais de três milhões de judeus passaram para o domínio dos nazistas.

Em outubro de 1939, Hitler autorizou, pessoalmente, a Aktion T4, o que provocou a morte por gás de cerca de 70 mil pessoas com deficiências mentais nos dois anos seguintes [9], em "centros de eutanásia" criados especialmente para esse fim. As forças nazistas continuaram o programa Aktion T4, na Polônia, fuzilando ou asfixiando com gás os pacientes terminais que encontravam.

Em 1940, os nazistas concebem o Plano Madagáscar, que previa uma deportação maciça dos judeus da Europa ocupada para a ilha de Madagáscar, na África, a qual se tornaria uma "reserva judaica". A continuação do conflito com o Reino Unido impediu, porém, que essa solução para a "questão judaica" fosse bem-sucedida. No mesmo ano, a partir de novembro, os judeus poloneses passaram a ser presos em guetos, onde fome, trabalho forçado, maus-tratos e execuções sumárias iniciaram, de fato, o processo de eliminação física. No início de 1941, Hitler também pensou em deportar os judeus para a Sibéria. Tal resolução seria suficiente para levar a um massacre e era, portanto, genocida em si. No entanto, assim que o avanço alemão na Rússia

8 Termo alemão que designa a anexação da Áustria pela Alemanha nazista, em 1938.
9 Horst von Buttlar, *Forscher Öffnen Inventar des Schreckens*, Spiegel Online, 1 de outubro de 2003.

desacelerou devido à resoluta resistência soviética, no outono de 1941, essa solução foi retirada da agenda nazista.

Na verdade, quando a guerra atingiu dimensões globais, em dezembro de 1941, com a agressão japonesa em Pearl Harbor e a declaração de guerra dos Estados Unidos ao Reich, Hitler e sua comitiva se convenceram ainda mais de que os judeus deviam ser "punidos", responsabilizados pela guerra que a própria Alemanha provocou e, portanto, vistos como culpados pelas perdas alemãs nas frentes de combate e pelos bombardeios nas cidades. Os nazistas também buscaram destruir a ameaça imaginária que as comunidades judias na Europa representariam. Assim, no final de 1941, tem início a execução em massa de judeus.

Apesar do ódio provocado pelo antissemitismo, o Holocausto também tem suas origens, em parte, no vasto projeto de reformulação demográfica da Europa desenvolvido pelos nazistas, que contaram, para tanto, com uma infinidade de especialistas, geógrafos e estudiosos, quase sempre altamente qualificados. Nos territórios invadidos do Leste Europeu, o Holocausto era tido como uma simples questão de abrir espaço para os colonos alemães, deportando os eslavos em massa, mas, também, esterilizando-os e reduzindo-os ao estado de uma massa humana condenada à escravidão, enquanto os ciganos e, especialmente, os judeus de tais territórios deveriam ser exterminados.

Conforme resume o historiador e escritor inglês Mark Mazower, "genocídio e colonização estavam intrinsecamente ligados porque o objetivo de Hitler era a completa reconstrução racial da Europa"[10]. Não é por acaso que as primeiras expulsões em massa e, em seguida, os assassinatos em massa de judeus ocorreram nos territórios poloneses anexados pelo Reich, cujo governo buscava "limpar" e germanizar o país invadido o mais rapidamente possível.

10 Mark Mazower, *Hitler's Empire. Nazi Rule in Occupied Europe*, Penguin, Londres, 2008.

Esses projetos demográficos foram, porém, apenas um ponto de partida. De fato, com o início do genocídio dos judeus do Leste Europeu, o ódio ideológico se intensificou e se alastrou, e todos os israelitas da Europa e dos países dominados pelos nazistas deveriam ser eliminados. Exemplo desse esforço se dá em 1943, quando os nazistas deportaram 17 judeus de Túnis, capital da Tunísia, para campos de extermínio. Ao mesmo tempo, Hitler pediu a seus aliados japoneses que atacassem judeus-alemães refugiados em Xangai.

Após o início da Operação Barbarossa, em 22 de junho de 1941, a violência assassina passou a ser desencadeada numa escala sem precedentes: quase 1,5 milhão de judeus pereceram em poucos meses, assassinados pelos *Einsatzgruppen*, esquadrões da morte diretamente subordinados à SS. A princípio, os *Einsatzgruppen* executavam principalmente homens judeus. Mas a partir do final do verão de 1941, os assassinatos em massa passaram a incluir mulheres e crianças judias.

Num discurso feito na cidade polonesa de Posnânia, em outubro de 1943, Himmler justificou a necessidade de os alemães também eliminarem as mulheres e as crianças judias por causa do perigo de que um dia elas pudessem promover represálias por si mesmas ou através de seus filhos. Nessa ocasião, Himmler descreveu o massacre em andamento como "uma página gloriosa em nossa história"[11].

O extermínio de todos os judeus europeus, a chamada Solução Final, foi decidido no outono de 1941. Em 31 de julho de 1941, o líder da SS Reinhard Heydrich recebeu, assinada por Hermann Goering, a ordem oficial secreta que o incumbia do estudo e da implementação de uma "solução final para o problema judaico". Com efeito, no final do verão, Heydrich confirmou a um dos seus subordinados que Hitler ordenara "o extermínio físico dos judeus"[12].

11 Florent Brayard, *Auschwitz, enquête sur un complot nazi*, Le Seuil, s/d.
12 Raul Hilberg, *The Destruction of the European Jews*, Yale University Press, New Haven, 2003.

A maioria dos registros das mortes produzidas no Holocausto foi destruída pelos nazistas no final da guerra, mas um estudo recente lançou mão, de forma bem-sucedida, dos arquivos das ferrovias alemãs. Segundo o United States Holocaust Memorial Museum (https://www.ushmm.org/), esses dados revelam que os nazistas exterminaram mais de 1,5 milhão de pessoas (principalmente judeus-poloneses) em 1942, em menos de três meses, somente nos campos de extermínio então existentes na Polônia – Chelmno, Belzec, Sobibor, Treblinka e Auschwitz-Birkenau –, cerca de um quarto das seis milhões de vítimas judias do holocausto foram assassinadas apenas no verão daquele ano – mortalidade que então afetava meio milhão de pessoas por mês, um número significativamente superior às estimativas anteriores.

O número exato de pessoas mortas pelo Holocausto nazista continua a ser objeto de pesquisa. Documentos liberados recentemente na Grã-Bretanha e na União Soviética indicam, até mesmo, que o total pode ser algo superior ao que se acredita. No entanto, de acordo com artigo publicado no jornal israelense *The Jerusalem Post*, edição de 20 de maio de 1997, as seguintes estimativas são consideradas confiáveis:

- 5,6 a 6,1 milhões de judeus
  (dos quais 3,0 – 3,5 milhões de judeus poloneses)
- 2,5 a 3,5 milhões de poloneses não judeus
- 3,5 a 6 milhões de civis eslavos
- 2,5 a 4 milhões de prisioneiros de guerra soviéticos
- 1 a 1,5 milhão de dissidentes políticos
- 200 a 300 mil deficientes
- 10 a 25 mil homossexuais

PARTE II
A GUERRA NO PACÍFICO

O AVANÇO AMERICANO

Depois de Pearl Harbor e das derrotas que se seguiram, a guerra com o Japão assumiu um caráter próprio para os americanos. Os japoneses haviam derrotado os britânicos em Cingapura e tomado as Filipinas, em 1942. Então, Tóquio voltou seus esforços contra a Índia e a Austrália. Em junho de 1942, os japoneses tentaram invadir o Havaí, mas o plano foi interceptado e os americanos destruíram grande parte da frota nipônica na Batalha de Midway, considerada o confronto naval mais importante da campanha do Pacífico. Depois dessa derrota, os americanos buscaram recapturar diversas ilhas no Pacífico. Em 7 de agosto de 1942, fuzileiros dos Estados Unidos invadiram Guadalcanal, na campanha mais violenta de toda a guerra. Os japoneses só abandonaram a ilha em fevereiro de 1943, após derramar muito sangue. Com superioridade aérea e naval, em 1944, os Aliados libertaram as Filipinas. Seu próximo alvo era o próprio Japão. Os fuzileiros americanos tomaram Iwo Jima em fevereiro de 1945 e, em seguida, Okinawa. Durante a batalha, os desesperados japoneses empregaram pilotos suicidas, os kamikazes. Mesmo assim, foram derrotados.

Conforme os Aliados avançavam em direção ao Japão, as condições foram piorando para o povo japonês. A frota mercante do Japão tinha diminuído de 5,25 milhões de toneladas em 1941 para 1,56 milhão de toneladas em março de 1945 e 557 mil toneladas em agosto de 1945. A falta de matérias-primas forçou a economia de guerra japonesa a entrar em forte declínio a partir do segundo semestre de 1944. A economia civil que tinha se deteriorado ao longo da guerra atingiu níveis desastrosos em meados de 1945. A perda de navios também afetou a frota pesqueira, que naquele ano de 1945 capturou apenas 22% do que havia pescado em 1941. Em 1945, a colheita de arroz foi a pior desde 1909, gerando fome em todo o país. A produção industrial dos Estados Unidos era tremendamente superior à do Japão. Por volta de 1943, os Estados Unidos produziam quase 100 mil aviões por ano, enquanto a produção do Japão foi de 70 mil aviões durante toda a guerra. No verão de 1944, os Estados Unidos tinham quase 100 porta-aviões no Pacífico, enquanto o Japão chegou a ter 25 durante todo o conflito. Em fevereiro de 1945, o príncipe Fumimaro Konoe avisou o imperador Hirohito [1] que a derrota era inevitável e que o monarca deveria abdicar.

Mesmo antes da rendição da Alemanha nazista, em 8 de maio de 1945, já tinham sido elaborados planos para a invasão do Japão, a Operação Downfall. O plano era dividido em duas partes: as Operações Olympic e Coronet. Marcada para ter início em outubro de 1945, a Operação Olympic designava a invasão da principal ilha japonesa ao sul do país, Kyushu. Em seguida, a partir de março de 1946, a Operação Coronet previa a captura da região próxima de Tóquio. As datas foram escolhidas, considerando que as tropas americanas na Europa deveriam ser enviadas ao teatro do Pacífico e também levavam em conta a aproximação do inverno japonês.

1 Durante a Segunda Guerra Mundial, o monarca do Japão era o imperador Showa (1901-1989), mais conhecido fora de seu país pelo seu nome pessoal, Hirohito, que significa "benevolência abundante". No início do seu reinado, o Japão já era uma das grandes potências, a nona maior economia do mundo com o terceiro maior poderio naval. O país era um dos quatro membros permanentes do Conselho da Liga das Nações. Não há um consenso entre os historiadores com relação ao grau de envolvimento do imperador nas decisões tomadas durante o conflito. Depois da guerra, Hirohito tornou-se símbolo do novo Estado e da recuperação do Japão. Com efeito, no final do seu reinado, o Japão tornou-se a segunda maior economia do mundo.

A geografia do Japão deixou o plano óbvio para os japoneses, que foram capazes de prever a invasão dos Aliados de forma precisa e puderam elaborar um plano de defesa, a Operação Ketsugo. O plano previa uma defesa completa da Ilha de Kyushu, deixando poucas reservas para quaisquer operações de defesa que fossem necessárias. Quatro divisões veteranas do exército japonês foram retiradas da Manchúria, em março de 1945, para fortalecer o contingente no Japão, e 45 novas divisões foram arregimentadas entre fevereiro e maio de 1945. A maioria eram formações imóveis para defesa costeira, mas 16 delas eram divisões móveis de alta qualidade. No total, havia 2,3 milhões de soldados preparados para defender as ilhas domésticas, apoiados por uma milícia civil de 28 milhões de homens e mulheres.

Bombardeios Incendiários

Entre junho e agosto de 1944, os Aliados capturaram ilhas no Pacífico que permitiram a construção de bases aéreas nas Ilhas Marianas, possibilitando um aumento na campanha de bombardeio a partir de outubro de 1944. No entanto, as primeiras tentativas de bombardear o Japão a partir das Ilhas Marianas foram tão ineficientes como a campanha anterior promovida a partir de bases na Índia e China, devido ainda às dificuldades logísticas ocasionadas pela localização remota da base, a problemas técnicos com os aviões, a condições atmosféricas desfavoráveis e à própria ação dos japoneses.

Em janeiro de 1945, os americanos mudaram de tática e passaram a fazer bombardeios incendiários contra as cidades japonesas, buscando destruir fábricas e outras instalações produtivas, matar ou incapacitar os empregados civis dessas indústrias e minar a moral do povo japonês. Os americanos consideravam que os civis que participavam do esforço de guerra por meio de atividades como a construção de fortificações e a fabricação de munição e de outros materiais bélicos nas fábricas e oficinas japonesas também eram combatentes e, portanto, passíveis de serem atacados, mortos ou incapacitados.

Durante os seis meses seguintes, o XXI Comando de Bombardeio, sob liderança do major general Curtis LeMay, bombardeou e incendiou 67 cidades japonesas. O bombardeio de Tóquio, cujo nome-código era Operação Meetinghouse, entre 9 e 10 de março, matou aproximadamente 100 mil pessoas, destruiu 41 km² da cidade e cerca de 267 mil edifícios numa única noite. Foi o bombardeio mais mortal de toda a guerra, custando para os Aliados vinte bombardeiros B-29, abatidos pela artilharia antiaérea japonesa. Em maio, aproximadamente 75% das bombas lançadas sobre o Japão eram incendiárias, visando destruir as casas de papel e madeiras típicas do país. Em meados de junho, as seis maiores cidades do Japão tinham sido devastadas. A conquista da ilha de Okinawa naquele mês garantiu bases aéreas mais próximas ao Japão, o que permitiu que as campanhas de bombardeios fossem aumentadas ainda mais. Agora os bombardeios incendiários eram dirigidos às cidades menores, com populações entre 60 e 350 mil habitantes. Nesse esforço, mais de uma centena de cidades japonesas foram atacadas e devastadas.

Restos mortais carbonizados de vítimas dos bombardeios a Tóquio.

Wikicommons

Apesar de tudo, o imperador Hirohito não se rendeu. Diante da recusa, os americanos decidiram usar uma arma secreta que haviam desenvolvido ao longo da guerra: a bomba atômica.

Douglas MacArthur

O general de cinco estrelas e marechal de campo do exército filipino Douglas MacArthur (1880 – 1964) era também chefe do Estado-Maior do Exército dos Estados Unidos, durante a década de 1930. MacArthur teve papel proeminente no teatro do Pacífico durante a Segunda Guerra Mundial. Veterano de campanhas nas Filipinas, no México e na Primeira Guerra, foi nomeado, em 1941, comandante das forças no Oriente. No início da sua campanha, sofreu uma série de revezes. Em 8 de dezembro de 1941 a Força Aérea sob seu comando foi destruída e as Filipinas foram invadidas pelo Japão. MacArthur foi obrigado a se retirar para a província filipina de Bataan. Em março de 1942, o general, sua família e seus oficiais mais graduados fugiram para a Austrália, onde MacArthur tornou-se comandante supremo da aérea do sudoeste do Pacífico.

Depois de mais de dois anos lutando no Pacífico, ele cumpriu a promessa de voltar às Filipinas. Em 2 de setembro de 1945, ele representou os Estados Unidos ao aceitar oficialmente a rendição do Japão, a bordo USS Missouri, ancorado na Baía de Tóquio. MacArthur também foi encarregado de supervisionar a ocupação americana do Japão, entre 1945 e 1951. Como governante efetivo do Japão, promoveu fortes mudanças econômicas, políticas e sociais. MacArthur terminou sua carreira no Comando das Nações Unidas durante a Guerra da Coreia. Depois de se aposentar do Exército em 1951, tornou-se presidente da fabricante de calculadoras Remington Rand.

Imagem da primeira explosão nuclear, produzida em 16 de julho de 1945, durante o teste de Trinity, em Alamogordo, Novo México.

Shutterstock

A BOMBA A

Conforme a Segunda Guerra Mundial entrava no seu sexto ano, os Aliados começaram a se preparar para uma invasão ao Japão que traria enorme custo em termos de vidas humanas. A invasão foi precedida de uma grande campanha de bombardeio incendiário que destruiu muitas cidades japonesas. A guerra na Europa já havia terminado quando a Alemanha nazista assinou os termos de rendição, em 8 de maio de 1945. No entanto, o Japão recusava-se a aceitar as exigências de rendição incondicional feitas pelos aliados. Assim, a guerra no Pacífico continuava. Em 26 de julho de 1945, os Estados Unidos, o Reino Unido e a China voltaram a exigir rendição incondicional por meio da Declaração de Potsdam, ameaçando os japoneses de "completa e imediata destruição". Os Aliados haviam decidido usar sua mais terrível arma: a bomba nuclear.

O impulso que levou ao início das pesquisas para desenvolver a arma de destruição em massa aconteceu antes mesmo da guerra. Em 2 de agosto de 1939, pouco antes do início da Segunda Guerra Mundial, Albert Einstein escreveu ao então presidente dos Estados Unidos, Franklin D. Roosevelt, informando sobre os esforços da Alemanha nazista para purificar urânio-235, que poderia ser usado para construir uma bomba atômica. Pouco tempo depois, o governo dos Estados Unidos iniciou o seu programa nuclear, o Projeto Manhattan.

Em 1940, o governo americano começou a desenvolver o seu programa de pesquisas de armas nucleares, sob a responsabilidade conjunta do Escritório de Pesquisa e Desenvolvimento Científico e do Departamento de Guerra. O Corpo de Engenheiros do Exército foi encarregado de construir as enormes instalações necessárias para o programa ultrassecreto, cujo nome-código era Projeto Manhattan, uma vez que a sede do Corpo de Engenheiros localizava-se no bairro de Manhattan, em Nova Iorque. Entre as estrelas do Projeto Manhattan estavam Hans Bethe, Enrico Fermi e Richard Feynman, que conseguiram produzir o processamento do urânio, usado na bomba que destruiu Hiroshima, e do plutônio, empregado no aparato que obliterou Nagasaki. O líder científico do projeto era o físico Robert Oppenheimer e seu diretor-geral, o general Leslie Groves.

O "Pai da Bomba"

De 1942 a 1946, o físico J. Robert Oppenheimer dirigia o Laboratório Nacional de Los Alamos, que produziu as bombas atômicas. Físico teórico e professor desta cadeira na Universidade da Califórnia, Berkeley, Oppenheimer tornou-se, depois da guerra, uma das vozes a bradar pelo controle das armas nucleares e pela necessidade de se evitar a proliferação das armas de destruição em massa e a corrida armamentista com a União Soviética. Seu discurso provocou a ira de muitos políticos e teve revogado seu acesso a informações confidenciais, o que lhe era garantido pela sua posição como conselheiro-chefe da Comissão de Energia Atômica dos Estados Unidos. Foi apenas em 1963 que o presidente John Kennedy lhe concedeu o prêmio Enrico Fermi, num gesto de reabilitação política.

Além de ser um dos pais da bomba atômica, Oppenheimer obteve realizações notáveis em seu campo de atuação, como a aproximação Born-Oppenheimer para funções de onda moleculares, o processo de fissão nuclear Oppenheimer-Phillips e a primeira previsão do tunelamento quântico. Com seus alunos, também fez importantes contribuições à moderna teoria das estrelas de nêutrons, buracos negros, mecânica quântica, teoria quântica de campos e interações dos raios cósmicos.

Embora Oppenheimer fosse responsável pelo desenvolvimento da bomba, o projeto era controlado pelos militares. A direção do Projeto Manhattan estava sob responsabilidade de Leslie Groves (1896 – 1970), filho de um capelão do Exército que passou a maior parte da infância vivendo em quartéis. Com reputação de ser um realizador, ele foi designado para supervisionar a construção do Pentágono, em 1941. O sucesso da operação lhe garantiu a indicação para dirigir o Projeto Manhattan. Apesar de ser um projeto ultrassecreto, Groves foi responsabilizado pelo vazamento de informações para espiões da União Soviética. Depois da guerra, Groves continuou dirigindo o Projeto Manhattan, até que a produção de armas nucleares passasse para a Comissão de Energia Atômica dos Estados Unidos, em 1947. Percebendo que, depois da guerra, não receberia qualquer responsabilidade que fosse tão importante quanto a que ele deteve durante a realização do projeto, resolveu deixar o Exército em 1948. Promovido a tenente-general, aposentou-se no início daquele ano, e tornou-se vice-presidente da Sperry Corporation, a maior empresa de equipamentos eletrônicos dos Estados Unidos durante setenta anos do século XX.

O Projeto

A partir de 1940, os cientistas do Projeto Manhattan trabalharam na produção de materiais imprescindíveis para a fissão nuclear do urânio-235 e do plutônio (Pu-239). Concluída essa fase do projeto, em Los Alamos, Novo México, a equipe de J. Robert Oppenheimer transformou esses materiais em uma bomba atômica. Nas primeiras horas da manhã de 16 de julho de 1945, o Projeto Manhattan executou seu primeiro teste bem-sucedido com um artefato atômico – uma bomba de plutônio –, no campo de testes de Trinity, em Alamogordo (Novo México).

Inicialmente chamado Desenvolvimento de Materiais Substitutos, o projeto começou de forma modesta em 1939, mas chegou a empregar mais de 130 mil pessoas, custando cerca de dois bilhões de dólares (26 bilhões em 2015). Mais de 90% do custo destinou-se à construção de fábricas e à produção de materiais fissíveis, sendo que o custo do desenvolvimento e produção das bombas foi de apenas 10% do valor total investido no projeto. A pesquisa e produção teve lugar em mais de trinta instalações nos Estados Unidos, Reino Unido e Canadá.

Durante a guerra foram criados dois tipos de bomba atômica. Uma arma relativamente simples, de fissão de tipo balístico, foi fabricada usando-se urânio-235, um isótopo constituído de apenas 0,7% de urânio natural. Paralelamente ao trabalho com urânio, buscou-se também produzir uma bomba com plutônio. Foram construídos reatores em Oak Ridge e em Hanford, no estado americano de Washington. Contudo, a fissão de tipo balístico mostrou-se impraticável com o plutônio, de forma que foi necessário o desenvolvimento de uma arma com tipo de implosão mais complexo, o que foi realizado no principal laboratório do projeto, em Los Alamos.

Além do estudo e da produção das bombas nucleares, o Projeto Manhattan também tinha a incumbência de conseguir informações sobre o projeto de desenvolvimento nuclear alemão. Através da Operação Alsos, pessoas ligadas ao Projeto Manhattan foram enviadas à Europa, por vezes, atrás das linhas inimigas, onde obtiveram documentos e materiais sobre o projeto alemão. Apesar do grande esquema de segurança envolvendo o Projeto Manhattan, isso não impediu que espiões soviéticos conseguissem informações a respeito do programa.

A primeira bomba nuclear detonada durante o teste Trinity foi uma bomba do tipo implosiva, em 16 de julho de 1945. Em seguida, foram fabricadas duas bombas: Little Boy – uma arma de fissão de tipo balístico – e Fat Man – uma arma do tipo implosiva, as quais foram, respectivamente, lançadas sobre Hiroshima e Nagasaki.

O Teste Nuclear de Trinity

A primeira detonação de um aparato nuclear foi realizada no deserto de Jornada Del Muerto, no Novo México. Recebendo o nome-código de Trinity, escolhido por Robert Oppenheimer, que tirou o título de um poema de John Donne, teve a participação de 425 pessoas. O teste utilizou um aparato de montagem implosiva de plutônio, apelidado *The Gadget* (engenhoca), com o mesmo projeto da bomba Fat Man detonada sobre Nagasaki. A complexidade do projeto exigia um grande empenho do laboratório de Los Alamos, e a preocupação sobre a eficiência da bomba levou à decisão da realização do primeiro teste nuclear. Um ensaio foi realizado em sete de maio de 1945, nove dias antes do teste efetivo, no qual 110 toneladas de explosivo enriquecido com isótopos radioativos foram detonadas. A explosão do *The Gadget* produziu uma força equivalente a vinte quilotons de TNT.

Apesar do caráter estritamente confidencial do Trinity, o brilho produzido pela explosão foi avistado por diversos habitantes do Novo México. A base aérea mais próxima da cidade de Socorro, que ficava a 56 quilômetros do local da explosão, recebeu diversos questionamentos das pessoas e autoridades locais. Para evitar alardes, Groves emitiu um comunicado que havia sido preparado semanas antes. No texto, lia-se: "O oficial comandante da Base Aérea de Alamogordo fez a seguinte declaração nesta data (16 de julho 1945): 'Foram recebidas diversas solicitações de informações referentes a uma grande explosão que ocorreu na Base Aérea de Alamogordo, esta manhã. Um depósito de munição localizado remotamente contendo considerável quantidade de explosivos foi detonado acidentalmente. Não houve perda devida nem ferimentos, e o prejuízo material, além da perda do depósito de explosivos, foi irrisório. Contudo, devido aos reservatórios de gás que explodiram no acidente, pode ser que o Exército venha a evacuar temporariamente alguns civis'". Além dessa declaração, os assessores de imprensa da base tinham preparado quatro comunicados, os quais informavam diferentes resultados do teste, um dos quais havia sido concebido para notificar sérios prejuízos materiais às comunidades vizinhas e à base, além da evacuação de moradores e um local onde seriam divulgados os nomes das vítimas no teste. O autor dos comunicados, que testemunharia o teste, sabia que se a última nota fosse usada, ela significaria o seu próprio óbito.

Um artigo publicado no mesmo dia no jornal local, *El Paso Herald-Post*, afirmava que "a explosão foi vista e sentida na área entre as cidades de El Paso, Silver City, Gallup, Socorro e Albuquerque". Outro artigo citava uma mulher cega, residente a 240 quilômetros do local da explosão e que percebera a claridade, perguntara: "que luz brilhante é essa?". Apesar de os jornais do Novo México terem comentado a explosão, a notícia não apareceu em nenhum veículo da costa leste dos Estados Unidos. Contudo, as informações sobre o teste Trinity foram divulgadas apenas depois do bombardeio de Hiroshima.

Hiroshima, cerca de um mês depois do lançamento do Little Boy.

Shutterstock

HIROSHIMA E NAGASAKI

Quando o desenvolvimento da Bomba A foi concluído, foi criada e treinada uma equipe especial cuja missão era organizar e comandar um grupo de combate para desenvolver os meios de utilizar, contra alvos na Alemanha e no Japão, as armas atômicas que estavam sendo desenvolvidas pelo Projeto Manhattan. O 509º Grupo Composto foi constituído em 9 de dezembro de 1944 e iniciou sua atividade oito dias depois, no Campo Aéreo do Exército de Wendover, em Utah. O comandante do grupo era o coronel Paul Tibbets, que escolheu o campo aéreo de Wendover como base da sua equipe por ser localizado em uma posição remota. Durante o treinamento do grupo, cada bombardeiro realizou, pelo menos, cinquenta lançamentos utilizando "bombas-abóboras" inertes ou com explosivo convencional.

As chamadas "bombas-abóboras" eram bombas aéreas convencionais altamente explosivas desenvolvidas pelo Projeto Manhattan e usadas pela Força Aérea do Exército dos Estados Unidos contra o Japão, na Segunda Guerra Mundial. A bomba-abóbora era uma réplica idêntica, porém, não nuclear, com as mesmas características balísticas e de manuseio da bomba de plutônio Fat Man, lançada sobre Nagasaki. Foi usada principalmente para testes e exercícios de treinamento. O nome "bomba-abóbora" foi dado em virtude da grande forma elipsoidal desse armamento. Não era apenas um apelido, mas a denominação usada nos documentos oficiais.

Concluídos os testes, Tibbets declarou que seu grupo de combate estava pronto.

Paul Tibbets

Paul Warfield Tibbets Jr. (1915 – 2007) foi um dos brigadeiros-generais da Força Aérea dos Estados Unidos, famoso por ter pilotado o Enola Gay, o primeiro avião a lançar uma bomba atômica sobre um alvo humano na História.

Tibbets alistou-se no Exército em 1937 e, no ano seguinte, qualificou-se como piloto. Depois do ataque japonês a Pearl Harbor, ele foi encarregado de realizar patrulhas antissubmarino no Atlântico. Em fevereiro de 1942, foi promovido a oficial comandante do 340º Esquadrão de Bombardeio do 97º Grupo de Bombardeio, equipado com o Boeing B-17. Em 17 de agosto de 1942, pilotou o avião líder na primeira missão de bombardeio pesado americana diurna contra a Europa ocupada. Em outubro do mesmo ano, Tibbets também liderou o primeiro raide americano com mais de 100 bombardeiros na Europa. Depois de 43 missões de combate, ele tornou-se assistente das operações de bombardeio da 12ª Força Aérea, comando de treinamento de combate e bombardeio primário, disponível para ação aérea em qualquer parte do mundo. Tibbets retornou aos Estados Unidos em fevereiro de 1943 para ajudar no desenvolvimento da Superfortaleza Voadora Boeing B-29. Em setembro de 1944, foi nomeado comandante do 509º Grupo Composto, liderando os bombardeios de Hiroshima e Nagasaki. Depois da guerra, participou dos testes de armas nucleares no Atol de Bikini e, após deixar a Força Aérea, em 1966, trabalhou na empresa aérea NetJets, tendo assumido a presidência da companhia de 1976 até 1987, quando se aposentou.

O 509º Grupo Composto

O 509º Grupo Composto (509 CG, conforme sigla em inglês) foi uma unidade da Força Aérea do Exército dos Estados Unidos criada especialmente para possibilitar a utilização de armas nucleares durante a Segunda Guerra Mundial, responsável pelo bombardeio de Hiroshima e Nagasaki, em agosto de 1945. Comandado pelo tenente-coronel Paul Tibbets, era composto por diferentes bombardeiros: a Superfortaleza Voadora Boeing B-29 e pelos aviões de transporte militar Douglas C-47 Skytrain e Douglas C-54 Skymaster. Por conta disso, o grupo recebeu a designação de "composto" em lugar de "bombardeio". Os B-29s utilizados pelo 509 CG, chamados de Silverplate, eram especialmente configurados de modo a poder transportar armas nucleares. Além dos dois bombardeios nucleares realizados pelo grupo, o 509 CG realizou quinze missões contra ilhas controladas pelos japoneses como exercício prévio aos bombardeios nucleares e doze missões de combate contra alvos no Japão, lançando bombas-abóboras altamente explosivas.

O 509º Grupo Composto era formado por 225 oficiais e 1.542 homens. Além dos militares, havia um grupo técnico composto também por civis, vinculados ao Projeto Alberta[1]. O grupo tinha à sua disposição quinze bombardeiros B-29 Silverplate, especialmente adaptados para transportar armas nucleares.

Os Alvos

Em abril de 1945, o chefe do Estado-Maior, general George

1 O Projeto Alberta, também conhecido como o Projeto A, era uma seção do Projeto Manhattan designada para transportar as primeiras armas nucleares utilizadas contra o Japão durante a Segunda Guerra Mundial. Formado em março de 1945, era composto por 51 pessoas do Exército, Marinha e civis, entre eles, um cientista britânico. Sua missão se dividia em três partes. Primeiro, seus membros deveriam determinar o formato da bomba. Isto feito, o Projeto A deveria dar apoio aos testes balísticos realizados pelo 509 CG, bem como cuidar das adaptações dos bombardeiros B-29, o Projeto Silverplate. Finalmente, após tais desenvolvimentos e missões de treinamento, o Projeto Alberta se transferiu à base de Tiniam, nas Ilhas Marianas, no Pacífico, de onde partiriam as missões de bombardeio atômico. Em Tiniam, o projeto preparou as instalações, montou e carregou as armas e supervisionou o seu uso.

Marshall, pediu ao diretor do Projeto Manhattan, Leslie Groves, que designasse alvos específicos no Japão. Groves formou, então, o Comitê de Alvo, composto por membros da Força Aérea Americana e por cientistas do Projeto Manhattan. Os critérios usados para a escolha dos alvos buscavam um ponto que tivesse mais de 4,8 quilômetros de diâmetro em uma grande área urbana, de modo que a explosão produzisse grande prejuízo. Os alvos também não deveriam ter sido atacados nos raides aéreos americanos contra o Japão até agosto de 1945. O Comitê de Alvo considerou que "os fatores psicológicos na escolha dos alvos eram de grande importância. Dois aspectos desses fatores são: obter o maior efeito psicológico contra o Japão; e tornar o uso inicial espetacular o bastante para que a importância da arma seja reconhecida internacionalmente quando a informação vier à tona". O comitê escolheu cinco alvos: Kokura, onde estavam localizadas as maiores fábricas de munição do Japão; Hiroshima, um centro industrial e porto, onde estavam alguns dos principais quartéis japoneses; Yokohama, um centro urbano de fabricação de aviões, máquinas-ferramentas, equipamentos elétricos e refinarias de petróleo; Niigata, um porto com instalações industriais e siderúrgicas; e Kyoto, um dos maiores centros industriais do Japão. Nagasaki foi escolhida como alvo secundário.

Essas cidades não haviam sido bombardeadas porque a Força Aérea do Exército havia seguido as orientações do pessoal do Projeto Alberta de que fossem reservadas para o lançamento da arma nuclear.

Hiroshima foi descrita pelos analistas do Projeto A como "um importante depósito do Exército e porto no meio de uma área industrial urbana. Constitui um bom alvo por radar e seu tamanho permite que grande parte da cidade seja destruída. Há colinas adjacentes que tendem a produzir um efeito de aumentar consideravelmente o estrago provocado pela explosão. Devido aos rios próximos, não é um bom alvo incendiário". O palácio do Imperador, em Tóquio, também foi considerado pelo comitê, devido à sua grande fama e ao efeito psicológico que poderia ser produzido nos japoneses.

Contudo, devido ao seu pequeno valor estratégico, essa opção foi rejeitada.

Ao ser informado pelo ministro da guerra, Henry Stimson, o presidente Harry Truman escreveu, em seu diário, que ele havia dito ao "ministro da guerra para usar [a arma] de forma que o alvo fosse apenas objetivos militares, soldados e marinheiros, e não mulheres e crianças. Apesar de os 'japas' serem selvagens, impiedosos, cruéis e fanáticos, nós, como líderes do mundo para o bem-estar comum, não podemos lançar essa terrível bomba sobre a velha capital [Kyoto] ou a nova [Tóquio]". Desse modo, Truman decidiu que "o alvo seria puramente militar".

Uma Alternativa

Em maio de 1945, o ministro da guerra americano Henry Stimson criou o Comitê Interino, a pedido dos líderes do Projeto Manhattan, preocupados com as consequências da utilização da nova e poderosa arma. O presidente Truman aprovou o pedido dos cientistas e o comitê apresentou uma proposta alternativa. Durante as reuniões do grupo, em 31 de maio e 1 de junho, o cientista Ernest Lawrence sugeriu dar aos japoneses uma demonstração dos efeitos da bomba.

O físico americano, ganhador do Prêmio Nobel de 1927, Arthur Holly Compton, presente na reunião, escreveu em seu livro *Atomic Quest*, que "era evidente que todos suspeitariam de um truque. Se a bomba fosse detonada no Japão com aviso prévio, as defesas aéreas japonesas poderiam apresentar séria interferência. Uma bomba atômica era uma arma intrincada ainda no estágio de desenvolvimento. Sua operação não seria rotina. Se, durante os ajustes finais da bomba, os japoneses atacassem, um erro poderia facilmente resultar em fracasso. Caso o final da demonstração pacífica do poderio da arma resultasse desse fracasso, seria muito ruim". Considerando igualmente o fanatismo dos militares japoneses, Compton concluiu que "apesar da possibilidade de uma demonstração que não destruísse vidas humanas ser atraente, ninguém pôde sugerir um modo que fosse convincente o bastante para que pudesse terminar a guerra". Também considerou-se que os japoneses poderiam levar prisioneiros de guerra aliados ao local da demonstração, os quais seriam mortos na explosão. Outro fator era o elevado custo na produção da bomba nuclear, bilhões de dólares cada uma. Se a demonstração não surtisse o efeito desejado e os japoneses julgassem sua explosão um embuste, o custo seria demasiadamente elevado.

No final, os cientistas e militares concluíram que não seria possível a realização de uma demonstração pacífica da bomba. "Não podemos propor uma demonstração técnica que possa levar a guerra ao seu término; não vemos nenhuma alternativa aceitável senão o uso militar direto", atesta o documento produzido pelo comitê.

Durante as operações de bombardeio ao Japão conduzidas pelos Aliados, os americanos lançaram mais de 63 milhões de panfletos em todo o Japão avisando os civis sobre os ataques aéreos. Segundo Richard Frank, autor do livro *Downfall: The End of Imperial Japanese Empire*, os textos eram produzidos por prisioneiros de guerra japoneses, uma vez que acreditava-se que poderiam "comover seus compatriotas". Apesar dos avisos, a oposição à guerra continuava tímida entre os japoneses. Em geral, a população considerava as mensagens contidas nos panfletos verdadeiras, no entanto, qualquer um que fosse pego com algum desses panfletos era imediatamente preso.

Entretanto, na preparação do lançamento da bomba atômica sobre Hiroshima, os militares americanos decidiram que os panfletos com informações aos civis não deveriam ser lançados. Desse modo, a população de Hiroshima não foi avisada de que um aparato muito mais destrutivo seria lançado sobre a cidade.

Em 26 de julho de 1945, os maiores líderes aliados, Harry S. Truman, Winston Churchill, Josef Stalin e o líder do governo nacionalista chinês Chiang Kai-shek, reuniram-se na cidade holandesa de Potsdam para preparar os termos da rendição do Japão. Truman procurou adiar o início do encontro, esperando que a bomba atômica fosse testada antes das negociações com Stalin. O presidente americano obteve sucesso em seu intento. O Teste Nuclear de Trinity, realizado em 16 de julho, excedeu as expectativas. Em 26 de julho, os líderes aliados emitiram a declaração de Potsdam, definindo os termos de rendição do Japão. A declaração foi apresentada como um ultimato, declarando que, sem a rendição, os Aliados atacariam o Japão, de forma a produzir a "destruição inevitável e completa das forças armadas japonesas e a devastação inevitável do território japonês", conforme o texto do documento. A bomba atômica não foi mencionada no comunicado. Em 28 de julho, os jornais nipônicos informavam que a declaração havia sido rejeitada pelo governo japonês. O imperador Hirohito, que estava esperando uma resposta dos soviéticos a enviados japoneses que tentavam abrir um canal de negociação, nada fez para mudar a decisão do governo.

As Bombas

A bomba Little Boy estava praticamente pronta em julho de 1945. Tinha três metros de comprimento, 71 centímetros de largura e cerca de 4,4 toneladas de peso, contendo 64 quilos de urânio-235.

A bomba Fat Man, a segunda das duas únicas bombas atômicas utilizadas em guerra, tinha 2,34 metros de comprimento, 1,52 metro de diâmetro e 4.545 quilos. Sua potência era praticamente duas vezes maior que a Little Boy. Contudo, os danos foram menores e menos intensos do que os causados pela primeira bomba atômica lançada sobre alvos humanos. Isso se deveu ao fato de as condições climáticas da cidade de Nagasaki estarem desfavoráveis, o que fez com que a Fat Man não atingisse o alvo, caindo em um vale ao lado da cidade. Desse modo, parte da onda de choque produzida na explosão foi contida.

A Fat Man consistia de uma esfera oca (fosso) contendo plutônio-239, fortemente pressionada por explosivos a serem detonados simultaneamente, gerando pressão uniforme em todos os lados do fosso, o que levava à liberação de nêutrons, os quais, por sua vez, iniciavam uma reação em cadeia que culminava com a detonação da bomba.

A bomba Little Boy, que foi lançada sobre Hiroshima.

Hiroshima

À época da Segunda Guerra Mundial, Hiroshima era uma cidade de grande importância industrial e militar. Entre as diversas unidades militares localizadas na região de Hiroshima estava o comando da defesa do sul do Japão, estacionado no Quartel General do Segundo Exército, sediado no castelo da cidade. Hiroshima era defendida por cinco baterias da Terceira Divisão Antiaérea. Um total de quarenta mil militares lotavam a cidade. Hiroshima também era um centro de comunicações, um porto estratégico e local de reunião de tropas. Era a segunda maior cidade do Japão e não havia sido danificada pelos bombardeios promovidos pelos Aliados, uma vez que não tinha indústria aeronáutica – o alvo prioritário da campanha aliada.

A população de Hiroshima, no momento do bombardeio, era de 340 a 350 mil residentes, uma vez que parte dos habitantes havia sido evacuada por ordem do governo japonês. Outras fontes mencionam 250 mil habitantes, porém, devido à evacuação de parte da população, não se conhece o número com precisão. Os residentes indagavam sobre o motivo que poupara Hiroshima

A bomba Fat Man.

dos bombardeios Aliados. Alguns especulavam que a cidade estava sendo poupada para servir de base de ocupação quando os Estados Unidos entrassem no país. Outros, que desconheciam o destino dos descendentes de japoneses nos EUA, os quais estavam sendo detidos em campos de concentração, acreditavam que os nipo-americanos do Havaí e da Califórnia haviam promovido petições solicitando às autoridades americanas que poupassem Hiroshima do bombardeio. Mesmo assim, a administração municipal havia ordenado a construção de aceiros para impedir que os incêndios provocados por eventuais bombardeios à cidade se alastrassem. Os aceiros, que começaram a ser construídos em 1944, continuaram a ser expandidos até a manhã de 6 de agosto de 1945, o dia do bombardeio.

Nagasaki

A cidade de Nagasaki era, à época da Segunda Guerra, um dos maiores portos do sul do Japão e teve destaque durante o conflito por causa da sua diversificada atividade industrial, especialmente equipamentos militares, navios e munições. A empresa Mitsubishi possuía as quatro maiores empresas de Nagasaki, as quais, juntas, empregavam cerca de 90% da mão de obra local. Apesar da importância estratégica da cidade, Nagasaki havia sido poupada dos bombardeios incendiários promovidos pelos aliados por conta da dificuldade de ser localizada pelos radares à noite, devido à sua peculiaridade geográfica.

Contudo, Nagasaki havia sido bombardeada, em pequena escala, cinco vezes. Durante um desses ataques, em 1 de agosto, foram lançadas diversas bombas altamente explosivas sobre a cidade. Algumas atingiram os estaleiros e as docas; outras explodiram na siderúrgica e na fábrica de armamentos. Ao contrário de Hiroshima, quase todos os edifícios da cidade eram antigas construções feitas de madeira. Muitas das pequenas indústrias e estabelecimentos comerciais também eram localizados em prédios de madeira ou de outros materiais altamente inflamáveis. Nagasaki havia crescido sem seguir qualquer plano de zoneamento, de modo que as residências eram construídas adjacentes às fábricas. De acordo com Gordon Thomas e Max Morgan Witts, autores do livro *Ruin from the Air*, no dia em que a bomba foi lançada, estima-se que aproximadamente 263 mil pessoas estavam em Nagasaki, das quais havia aproximadamente 240 mil habitantes japoneses, dez mil moradores coreanos, três mil trabalhadores forçados coreanos e chineses, nove mil soldados japoneses e 400 prisioneiros de guerra aliados, confinados em um campo de concentração ao norte da cidade.

O Bombardeio

Hiroshima foi escolhida como alvo principal da primeira missão de bombardeio atômico, com Kokura e Nagasaki como alvos alternativos. Na manhã da segunda-feira, 6 de agosto de 1945, teve início a Missão Especial 13. O B-29 Enola Gay do 393º Esquadrão de Bombardeio, pilotado por Paul Tibbets, decolou do Campo Norte, na base de Tinian, iniciando um voo de seis horas até o Japão. O Enola Gay, assim batizado em homenagem à mãe de Tibbets, era acompanhado por outros dois B-29s. O Great Artiste comandado pelo major Charles Sweeney, levava instrumentos necessários para monitorar a explosão, e o outro B-29, até aquela manhã sem nome, mas que depois passou a ser chamado de Necessary Evil (Mal Necessário), comandado pelo capitão George Marquardt, que iria fotografar o evento.

Missão Especial 13 - Alvo: Hiroshima - 6 de Agosto de 1945

AVIÃO	PILOTO	NOME CÓDIGO	MISSÃO
Straight Flush	Major Claude R. Eatherly	Dimples 85	Reconhecimento Atmosférico (Hiroshima)
Jabit III	Major John A. Wilson	Dimples 71	Reconhecimento Atmosférico (Kokura)
Full House	Major Ralph R. Taylor	Dimples 83	Reconhecimento Atmosférico (Nagasaki)
Enola Gay	Coronel Paul W. Tibbets	Dimples 82	Transporte e Lançamento da Bomba

The Great Artiste	Major Charles W. Sweeney	Dimples 89	Medição da Intensidade da Explosão
Necessary Evil	Capitão George W. Marquardt	Dimples 91	Observação e Fotografia da Explosão
Top Secret	Capitão Charles F. McKnight	Dimples 72	Reserva – Não Completou a Missão

Fonte: The Atomic Heritage Foundation

Enola Gay

A Superfortaleza Voadora B-29 Enola Gay, batizada segundo o nome da mãe de seu comandante, Enola Gay Tibbets, foi escolhida pelo coronel Paul Tibbets ainda quando estava na linha de montagem. O avião foi o primeiro a lançar uma bomba atômica contra um alvo estratégico em toda a História. O Enola Gay também participou do segundo bombardeio atômico, como avião de reconhecimento do tempo, sobre a cidade de Kokura. Como Kokura estava encoberta por nuvens, Nagasaki foi bombardeada em seu lugar.

Depois da guerra, o Enola Gay voltou aos Estados Unidos e foi utilizado nos testes nucleares do Pacífico, embora não tenha sido escolhido para lançar a bomba atômica no Atol de Bikini. Posteriormente foi transferido para o Instituto Smithsoniano, onde ficou durante muitos anos na base aérea do instituto, exposto aos elementos e aos caçadores de lembranças, sendo, em seguida, desmontado e armazenado no depósito da instituição, em 1961.

Nos anos 1980, grupos de veteranos da Segunda Guerra começaram a se mobilizar com o objetivo de convencer o Instituto Smithsoniano a expor o avião. O Cockpit e o nariz do Enola Gay foram exibidos no Museu Nacional do Ar e do Espaço, em Washington, D.C., no 50º aniversário do bombardeio, em 1995. O fato de apenas parte da aeronave ter sido exposta gerou grande controvérsia. Desde 2003, o B-29 completamente restaurado está em exposição permanente no Museu Nacional do Ar e do Espaço.

A tripulação do Enola Gay; no centro, o comandante Paul Tibbets.

Tripulação do Enola Gay em 6 de Agosto de 1945

No dia do lançamento da bomba, a tripulação do Enola Gay foi constituída de doze homens:

TRIPULANTE	POSTO
Coronel Paul W. Tibbets Jr.	Piloto e Comandante
Capitão Robert A. Lewis	Copiloto
Major Thomas Ferebee	Artilheiro
Capitão Theodore "Dutch" Van Kirk	Navegador
Capitão William S. Parsons	Armeiro e Comandante da Missão
Primeiro Tenente Jacob Beser	Contra Medidas de Radar
Segundo Tenente Morris R. Jeppson	Armeiro Assistente
Sargento Técnico George R. "Bob" Caron	Artilheiro de Cauda
Sargento Técnico Wyatt E. Duzenbury	Engenheiro de Voo
Sargento Joe S. Stiborik	Operador de Radar
Sargento Robert H. Shumard	Engenheiro de Voo Assistente
Soldado de Primeira Classe Richard H. Nelson	Operador de Rádio VHF

Fonte: The Atomic Heritage Foundation

Depois de deixar a base de Tinian, os aviões chegaram sobre o alvo com visibilidade a 31.060 pés de altitude (9.470 metros). Durante o voo, o capitão William S. Parsons, comandante da missão e responsável pela arma nuclear, armou a bomba. Esse procedimento foi realizado para minimizar os riscos durante a decolagem. Parsons havia testemunhado quatro B-29s colidirem e incendiarem-se durante a decolagem, e ele temia que, caso ocorresse um acidente semelhante, a bomba Little Boy poderia ser detonada. Desse modo, seu assistente, o segundo tenente Morris R. Jeppson removeu os aparatos de segurança do Little Boy trinta minutos antes de o Enola Gay chegar ao alvo.

Durante a noite do dia 5 e a madrugada do dia 6, os radares japoneses haviam detectado a aproximação de diversos aviões americanos indo em direção ao sul do país. Segundo Thomas e Morgan Witts, os radares detectaram 65 bombardeiros indo em direção a Saga, 102 para Maebashi, 261 para Nishinomiya, 111 para Ube e 66 para Imabari. Um alerta foi dado e, em muitas cidades, as transmissões de rádio foram interrompidas, entre elas, Hiroshima.

À 00h05 do dia 6 foi dado o sinal de que não havia perigo de bombardeio em Hiroshima. Cerca de uma hora antes de a bomba Little Boy ser lançada sobre Hiroshima, o alarme antiaéreo soou novamente, quando o avião Straight Flush sobrevoou a cidade. O avião de reconhecimento atmosférico transmitiu, então, uma curta mensagem ao Enola Gay. "Cobertura de nuvens menos de 3/10 em todas as altitudes. Aviso: Bomba Primária", dizia a mensagem. Então, retirou-se. Às 7h09, o sinal de que não havia perigo de bombardeio soava novamente em Hiroshima.

Às 8h09, Tibbets iniciou o procedimento de bombardeio, passando o controle para seu artilheiro, o major Thomas Ferebee. O lançamento ocorreu no horário planejado, às 8h15h, hora local. O Little Boy, com sua carga de aproximadamente 64 quilos de urânio-235, levou 44,4 segundos para cair do avião, a 31 mil pés, até a altura de detonação, a 580 metros acima da cidade. De acordo com o Departamento de Energia dos Estados Unidos, em seu relatório "O Bombardeio Atômico de Hiroshima, 6 de agosto de 1945", nesse espaço de tempo, o Enola Gay voou 18,5 quilômetros antes de sentir as ondas de choque da explosão.

Devido aos ventos, a bomba errou o alvo, a ponte Aioi, em cerca de 240 metros, detonando diretamente sobre a Clínica Cirúrgica Shima. A explosão foi equivalente a 16 quilotons de TNT. O raio de destruição foi de cerca de 1,6 km^2, provocando incêndios numa área de 11 km^2. Aqueles que estavam no solo afirmam ter visto uma luz brilhante seguida por um alto som de explosão. Entre 70 a 80 mil pessoas, cerca de 30% da população de Hiroshima, morreram devido à explosão e à tempestade de fogo resultante.

Alguns dos edifícios de Hiroshima haviam sido construídos com concreto reforçado devido ao risco de terremotos, fenômenos comuns no Japão. Aqueles próximos ao local da explosão não ruíram depois da detonação. Como a bomba explodiu no ar, o impacto foi direcionado mais para baixo do que para os lados, o que permitiu que o prédio do Palácio do Comércio da Prefeitura de Hiroshima não fosse destruído. Hoje, o local, conhecido como Genbaku, ou "bomba atômica" em japonês, é chamado de marco zero. Atualmente a ruína abriga o Memorial da Paz de Hiroshima, declarado patrimônio da humanidade pela UNESCO, em 1996. Os Estados Unidos e a China expressaram reservas quanto à decisão da UNESCO, afirmando que outras nações asiáticas perderam mais vidas e propriedades do que o Japão.

A energia liberada pela bomba atômica – que pode ser dividida em 3 partes: 50% vento, 35% calor e 15% radiação, sendo 5% radiação imediata e 10% radiação remanescente – derrubou quase todas as estruturas da cidade de Hiroshima. Um dos poucos prédios que restou foi o do Palácio das Indústrias de Hiroshima, hoje conhecido como Domo da Paz. Inaugurado em 1915, foi projetado pelo arquiteto tcheco Jan Letzel em estilo ocidental. Calcula-se que a parte central do prédio tenha ruído em menos de um segundo após a explosão, que ocorreu a 160 metros do edifício, a uma altura de 580 metros do solo.

A oeste do palácio fica a ponte Aioi, em forma de "T", tida como alvo para lançamento da bomba.

Apesar de todas as pessoas que estavam no prédio terem morrido imediatamente, o domo permaneceu de pé porque foi atingido quase verticalmente, evitando que as paredes laterais fossem seriamente danificadas. Como possuía várias janelas, a diferença de pressão do interior e exterior do prédio não foi muito grande, diminuindo a força capaz de derrubar suas estruturas.

A população de Hiroshima passou a chamar as ruínas do palácio de "Domo da Bomba Atômica". O Parque Memorial da Paz foi construído em torno do domo em 1955. Na década de 1960, por causa de seu mal estado de conservação, que poderia fazê-lo ruir, cogitou-se sua demolição. Mas a edificação foi salva pelo líder pacifista Ichiro Kawamoto, que se emocionou ao ler, no diário de uma colegial que morreu de leucemia por causa da bomba atômica, que "aquele triste palácio deve denunciar às gerações futuras os horrores da bomba atômica". Em 1966, a prefeitura de Hiroshima decidiu pela preservação do prédio. A cada três anos, a edificação passa por vistorias para evitar o desmoronamento e, no mesmo ano, a UNESCO declarou a ruína Patrimônio da Humanidade.

Os americanos estimaram que 12 km^2 da cidade foram destruídos. As autoridades japonesas determinaram que 69% dos prédios de Hiroshima foram destruídos e cerca de 10%, abalados. A explosão provocou incêndios que se espalharam rapidamente nas casas de madeira com paredes de papel.

O sobrevivente mais próximo do ponto da explosão, Eizo Nomura, estava no porão de um edifício de concreto reforçado a apenas 170 metros do hipocentro no momento da detonação. Nomura viveu até mais de 80 anos de idade. Akiko Takakura, a segunda sobrevivente mais próxima do marco zero, estava no prédio do Banco de Hiroshima, a 300 metros do hipocentro. Mais de 90% dos médicos e 93% das enfermeiras de Hiroshima foram mortos ou feridos, uma vez que a maioria desses profissionais trabalhava no centro da cidade, área mais afetada pela explosão. Os hospitais foram destruídos ou altamente afetados. Segundo Paul Ham, autor do livro *Hiroshima Nagasaki*, apenas um médico, Terufumi Sasaki, continuou trabalhando no Hospital da Cruz Vermelha. Não obstante, no início da tarde, a polícia e voluntários haviam estabelecido centros de atendimento nas escolas e estações de trem, bem como um necrotério, na biblioteca da cidade.

Grande parte dos soldados baseados no quartel do Segundo Exército Japonês estavam realizando atividades físicas a cerca de 800 metros do hipocentro. O bombardeio matou 3.243 militares que estavam no pátio do Castelo de Hiroshima. A notícia do ataque a Hiroshima foi passada por Yoshie Oka, uma aluna do ensino médio que havia sido convocada para servir como oficial de comunicações. Logo após informar que o alarme de que não havia perigo de bombardeio havia sido dado, a bomba Little Boy explodiu. Tendo sobrevivido ao ataque, uma vez que a sala de comunicações do quartel do distrito militar onde a moça trabalhava era localizada no porão reforçado do Castelo de Hiroshima, Oka informou o quartel de Fukuyama que "Hiroshima tinha sido atacada por um novo tipo de bomba" e que "a cidade estava num estado de destruição quase total". O porto de Ujina não foi danificado e os soldados que lá estavam usaram barcos suicidas, destinados a repelir a invasão americana, para resgatar os feridos e levá-los pelos rios da cidade até o hospital militar de Ujina. Doze americanos da força aérea estavam aprisionados no quartel da polícia militar localizado a 400 metros do hipocentro da explosão. A maioria morreu instantaneamente, enquanto, de acordo com Thomas e Morgan Witts, dois sobreviventes foram executados por seus captores e outros dois, muito feridos, foram deixados na ponte Aioi, o alvo inicial do Little Boy, onde foram apedrejados até a morte.

Um telegrama datado de julho de 1978[2], dá conta de oito

2 (disponível em http://aad.archives.gov/aad/createpdf?rid=185912&dt=2694&dl=2009)

prisioneiros de guerra americanos, detidos no Castelo de Hiroshima e executados como parte do programa de experiências médicas antes do lançamento da bomba Little Boy.

Cobaias

Oito tripulantes de um bombardeiro americano derrubado em maio de 1945 foram usados em experiências médicas, num caso que o Japão tentou esquecer. O recém-aberto Museu Médico da Universidade de Kyushu, na cidade de Fukuoka, tem uma pequena seção que traz detalhes de um capítulo obscuro na história da universidade. Os tripulantes de uma superfortaleza voadora B-29, derrubada por um caça japonês, saltaram de paraquedas sobre Fukuoka. Dos nove sobreviventes, oito foram entregues aos médicos japoneses e transportados à Faculdade de Medicina da Universidade Imperial de Kyoto, enquanto o comandante do avião, capitão Marvin Watkins foi mandado para Tóquio para ser interrogado. De acordo com os depoimentos prestados no processo do tribunal de Crimes de Guerra contra os Aliados, em 1948, contra trinta médicos da universidade, testemunhas afirmaram que os prisioneiros de guerra recebiam injeções intravenosas de água do mar para testar a possibilidade de esse líquido substituir a solução salina estéril. Alguns tiveram pedaços de seus fígados retirados para comprovar, ou não, a possibilidade de sobrevivência. Outro experimento realizado era a verificação de a epilepsia poder ser controlada por meio da remoção de partes do cérebro.

Nenhum dos tripulantes do B-29 sobreviveu. Seus corpos foram preservados em formol até o final da guerra, quando os médicos tentaram encobrir suas experiências destruindo as evidências. Um dos médicos cometeu suicídio na prisão antes mesmo do julgamento dos crimes de guerra praticados por japoneses promovido pelos Aliados. Cinco dos médicos processados foram sentenciados à morte, quatro foram condenados à prisão perpétua e o resto recebeu penas menores. Dois anos depois, o general Douglas MacArthur, o governador militar do Japão, comutou todas as sentenças de morte e reduziu grande parte das penas. Em 1958, todas as pessoas envolvidas no caso já tinham sido liberadas.

O Japão Resiste

Com as linhas de telégrafo interrompidas, cerca de vinte minutos depois da explosão, chegaram à capital do país, Tóquio, as primeiras notícias confusas e extraoficiais sobre a terrível explosão em Hiroshima. As bases militares de todo o país tentaram repetidamente chamar a Estação de Controle do Exército na cidade bombardeada. O completo silêncio intrigou as autoridades militares, que desconheciam qualquer informação sobre a ocorrência de um grande raide aéreo inimigo, tampouco haviam tido informação sobre explosões em fábricas de armamentos em Hiroshima. Um jovem oficial recebeu ordens de voar imediatamente a Hiroshima, aterrissar, avaliar os danos e retornar a Tóquio com informações confiáveis para transmitir a seus superiores. Num primeiro momento, as autoridades perceberam o ocorrido como um evento menor e que a explosão era apenas um rumor.

Depois de voar por cerca de três horas, quando ainda estava a cerca de 160 quilômetros de Hiroshima, o oficial encarregado de avaliar os danos ocorridos na cidade e seu piloto observaram uma grande nuvem de fumaça. Na clara tarde, o que restava de Hiroshima estava em chamas. Logo que o avião chegou à cidade, o piloto sobrevoou suas ruínas, sem acreditar no que via. Tudo o que restava de Hiroshima era um grande trecho de terra em chamas onde antes havia uma

Wikicommons

Esqueleto do Salão de Promoção Internacional de Hiroshima, uma das poucas estruturas que não foram totalmente destruídas pela bomba atômica, lançada em 6 de agosto de 1945.

cidade. O avião aterrissou ao sul da cidade, e o oficial encarregado da missão, depois de informar Tóquio sobre o que tinha acontecido, começou a organizar medidas para salvar os sobreviventes.

Nas primeiras horas depois do bombardeio de Hiroshima, ainda em 6 de agosto, portanto, o presidente americano Harry Truman fez um pronunciamento sobre o uso da nova arma. Em seu comunicado, Truman afirmou que "devemos ser gratos à providência" porque o projeto da bomba atômica alemã fracassou e porque os Estados Unidos e seus Aliados tinham "gasto dois bilhões de dólares na maior aposta científica da história e ganhado". Então, Truman dirigiu seu discurso às autoridades japonesas: "se elas não aceitarem os nossos termos, podem esperar uma chuva de destruição vinda do ar, algo que nunca foi visto nesta terra. Atrás desse ataque aéreo seguirão forças por mar e terra tão grandes e poderosas como nunca viram e com habilidade de combate às quais ainda conhecerão".

Os japoneses não reagiram. O imperador Hirohito, o governo e o conselho de guerra consideraram quatro condições para render-se: a preservação do Kokutai (a instituição imperial), a responsabilidade do desarmamento e desmobilização a cargo do Quartel Imperial, a não ocupação das ilhas japonesas da Coreia ou de Formosa e a delegação da punição dos criminosos de guerra ao governo japonês.

Sem resposta do governo japonês às exigências de rendição, as potências Aliadas pressionaram. Em 5 de agosto, a União Soviética revogou unilateralmente o Pacto de Neutralidade Nipônico-Soviético, e, na madrugada de 9 de agosto, a infantaria, veículos blindados e a Força Aérea Soviética iniciaram a Operação Ofensiva Estratégica da Manchúria. Ao receber a declaração de guerra da União Soviética, os líderes do exército japonês decretaram que a lei marcial deveria ser imposta em todo o país, a fim de impedir qualquer tentativa de se firmar um acordo de paz.

Em 7 de agosto, dia seguinte à destruição de Hiroshima, físicos nucleares japoneses foram enviados à cidade para estudar as consequências da detonação. Em seu retorno para a capital, os cientistas confirmaram às autoridades militares que Hiroshima havia, de fato, sido destruída por uma bomba atômica. Os militares, porém, estimaram que não poderia haver mais do que duas bombas disponíveis para serem empregadas contra o Japão, por isso, decidiram enfrentar os outros possíveis ataques. Edwin P. Hoyt escreve em seu livro *Japan's War: The Great Pacific Conflict* que os oficiais japoneses admitiram que "haverá mais destruição, mas a guerra irá continuar". As mensagens trocadas pelas autoridades militares nipônicas foram interceptadas pelos criptógrafos americanos e passadas aos líderes americanos. No mesmo dia, os oficiais do 509 CG reuniram-se e decidiram que, como não havia sinais que indicassem a inclinação do Japão à rendição, iriam lançar outra bomba. A bomba de plutônio, Fat Man, estaria pronta apenas em 11 de agosto. Contudo, conforme Paul Tibbets observou, as previsões meteorológicas indicavam más condições de voo naquele dia devido a uma tempestade. Por isso, o comandante pressionou para que a bomba estivesse pronta até 9 de agosto. O pessoal do Projeto Alberta, encarregado da montagem da arma, concordou que faria o máximo para que isso ocorresse.

O Imperador Hirohito

O imperador Showa (1901-1989), depois da Segunda Guerra Mundial, não foi processado por crimes de guerra, conforme muitos outros líderes e membros do governo japonês foram. De fato, há controvérsias entre os historiadores com relação ao seu grau de envolvimento nas decisões tomadas durante o conflito. Há, realmente, motivo para dúvidas. Quando o Japão começou a perder a guerra, Hirohito temeu a deserção de civis japoneses, por causa do risco de que esses civis recebessem tratamento generoso dos invasores americanos, subvertendo o "espírito de combate do Japão" construído e divulgado pela propaganda de guerra. No final de junho de 1944, durante a batalha de Saipan travada nesta que é a maior das Ilhas Marianas do Norte e, à época controlada pelo Japão, o Imperador afirmou, diante da derrota iminente, que os civis japoneses de Saipan deveriam cometer suicídio em vez de caírem prisioneiros. O édito imperial prometia aos civis que morressem em um status espiritual na vida futura equivalente ao dos soldados que morreram em combate. Quando os fuzileiros navais americanos chegaram ao norte da ilha de Saipan, mais de mil civis japoneses tinham cometido suicídio nos últimos dias da batalha por conta do lugar privilegiado que ocupariam na existência depois da morte.

Depois do conflito, Hirohito encarnou a recuperação do Japão, levando o país a se tornar uma das mais poderosas economias do planeta.

Missão Especial 16 - Alvo Secundário: Nagasaki - 9 de Agosto de 1945

AVIÃO	PILOTO	NOME CÓDIGO	MISSÃO
Enola Gay	Capitão George W. Marquardt	Dimples 82	Reconhecimento Atmosférico (Kokura)
Laggin' Dragon	Capitão Charles F. McKnight	Dimples 95	Reconhecimento Atmosférico (Nagasaki)
Bockscar	Major Charles W. Sweeney	Dimples 77	Transporte e Lançamento da Bomba
The Great Artiste	Capitão Frederick C. Bock	Dimples 89	Medição da Intensidade da Explosão
Big Stink	Major James I. Hopkins Jr.	Dimples 90	Observação e Fotografia da Explosão
Full House	Major Ralph R. Taylor	Dimples 83	Reserva – Não Completou a Missão

Fonte: The Atomic Heritage Foundation

Novamente, a responsabilidade pela organização do segundo bombardeio atômico foi delegada a Paul Tibbets. Marcada para 11 de agosto, o alvo escolhido foi Kokura. Contudo, a data foi antecipada em dois dias para evitar um período de mau tempo de cinco dias, o qual teria início em 10 de agosto. Três câmaras (invólucro) de bomba pré-montadas tinham sido transportadas à base de Tinian, rotuladas com as marcações F-31, F-32 e F-33. Em 8 de agosto foi feito um ensaio do bombardeio nas proximidades de Tinian, com o major Charles Sweeney pilotando o B-29 Bockscar, escolhido para lançar a segunda bomba, o Fat Man. A câmara F-33 foi usada no teste, e a escolhida para o lançamento na missão de 9 de agosto foi a câmara F-31.

Às 3h49 da manhã de agosto de 1945, o Bockscar, pilotado pelo major Sweeney e sua tripulação, decolou com a bomba de plutônio Fat Man,

Família real: o imperador Hirohito, ao centro, sua esposa Kojun e os filhos, em 1941.

Wikicommons

com Kokura como alvo principal e Nagasaki como secundário. O plano da missão desse segundo bombardeio atômico era praticamente idêntico ao da missão de Hiroshima, ou seja, dois B-29s voando uma hora à frente para reconhecimento atmosférico e mais dois B-29s acompanhando o Bockscar para fornecer apoio instrumental e fotográfico à missão. Sweeney decolou com a bomba já armada, porém, com os plugues elétricos de segurança ainda engrenados. Havia, porém, um problema.

Durante a inspeção prévia à decolagem, o engenheiro de voo notificou Sweeney que uma bomba de combustível defeituosa impossibilitaria o uso dos 2.400 litros no tanque de reserva. Esse peso, porém, teria de ser levado no voo, consumindo ainda mais combustível. Para substituir a bomba, seriam necessárias horas, e levar o Fat Man para outro avião poderia ser ainda mais demorado e, com certeza, muito mais perigoso, uma vez que a bomba já estava armada – ou "viva" conforme o jargão militar. Por conta disso, Tibbets e Sweeney resolveram prosseguir a missão com o Bockscar nas condições que estava.

Os dois aviões de observação atmosférica, o Enola Gay, que deveria verificar as condições climáticas de Kokura, e o Laggin' Dragon, que checaria o tempo em Nagasaki, notificaram que os dois alvos estavam claros, com boas condições de visibilidade. Quando o Bockscar chegou ao ponto de encontro na costa do Japão, o avião de escolta Big Stink não chegou, desencontrando-se dos outros aviões da missão. Isso prejudicou o tempo de partida desde o ponto de encontro entre o Bockscar e os aviões de escolta, atrasando a missão em meia hora. O atraso fez com que, nesse meio tempo, as condições meteorológicas de Kokura se tornassem inadequadas para o bombardeio. Além das nuvens que passaram a cobrir a cidade, a fumaça dos incêndios provocados por um raide aéreo americano contra a cidade de Yahata, próxima de Kokura, também impedia a clara visibilidade do alvo.

Durante 50 minutos, o Bockscar, acompanhado pelo The Great Artiste, sobrevoou o alvo três vezes na tentativa de cumprir a missão. Esse procedimento consumiu combustível precioso e expôs o avião à forte defesa antiaérea da cidade. Contudo, Sweeney não conseguiu lançar a bomba por causa da falta de contato visual com seu objetivo. Quando estava sobrevoando o alvo pela terceira vez, os tiros disparados pela artilharia japonesa estavam chegando cada vez mais perto de atingir o Bockscar. Além disso, o segundo-

A bomba de plutônio.

Shutterstock

Charles Sweeney

O major general Charles W. Sweeney (1919 – 2004) foi o Segundo homem a lançar uma bomba nuclear durante uma guerra, pilotando o avião Bockscar, que transportou e jogou o Fat Man em Nagasaki colocando um fim à Segunda Guerra. Depois do conflito, tornou-se oficial da Guarda Aérea Nacional de Massachusetts, terminando a carreira como major general.

tenente Jacob Beser, que estava monitorando as comunicações japonesas, relatou captar mensagens de aviões de caça japoneses se aproximando. Desse modo, dirigiram-se ao alvo secundário, Nagasaki. Os cálculos de consumo de combustível realizados durante o voo indicavam que o Bockscar não tinha condições de chegar a Iwo Jima e seria forçado a ir para Okinawa – um dos campos de pouso de emergência estabelecidos pelos idealizadores da missão. Sweeney decidiu que, se Nagasaki também não estivesse visível ao chegarem,

O B-29 Bockscar.

Wikicommons

a tripulação levaria a bomba a Okinawa e, se necessário, lançaria o Fat Man no oceano.

Em Nagasaki, um alerta de ataque aéreo foi soado às 7h50, hora local, mas o sinal de que não havia perigo de bombardeio foi dado às 8h30. Às 10h53, foram avistadas apenas duas superfortalezas voadoras B-29, e os japoneses julgaram serem apenas aviões de reconhecimento. Por isso, nenhum alarme adicional foi dado. Poucos minutos depois, às 11h00, o The Great Artiste lançou instrumentos por meio de três paraquedas. Com a carga também havia uma carta não assinada endereçada ao professor Ryokichi Sagane, um físico da Universidade de Tóquio que estudara com três dos cientistas responsáveis pelo desenvolvimento da bomba atômica, na Universidade da Califórnia, Berkeley, incitando-o a avisar o público sobre o perigo das armas de destruição em massa. Segundo Lillian Hoddeson, autora de *Critical Assembly: A Technical History of Los Alamos During the Oppenheimer Years*, 1943-1945, as mensagens foram encontradas pelas autoridades militares, mas só foram entregues ao destinatário um mês depois. Nagasaki também estava encoberta por

Bockscar

O bombardeiro B-29 Bockscar ficou famoso por ter sido a aeronave a lançar a segunda arma nuclear, a bomba Fat Man, durante a Segunda Guerra. O avião foi usado em 13 missões de treinamento e prática na base de Tinian e três de combate, nas quais lançou bombas-abóbora sobre alvos industriais no Japão. Depois de destruir cerca de 44% da cidade de Nagasaki no segundo e, até agora, último ataque nuclear da História, com o fim da guerra o Bockscar voltou aos Estados Unidos e foi doado ao Museu Nacional da Força Aérea dos Estados Unidos, na base de Wright Patterson, onde está em exibição desde dos anos 1960, ao lado de uma réplica do Fat Man.

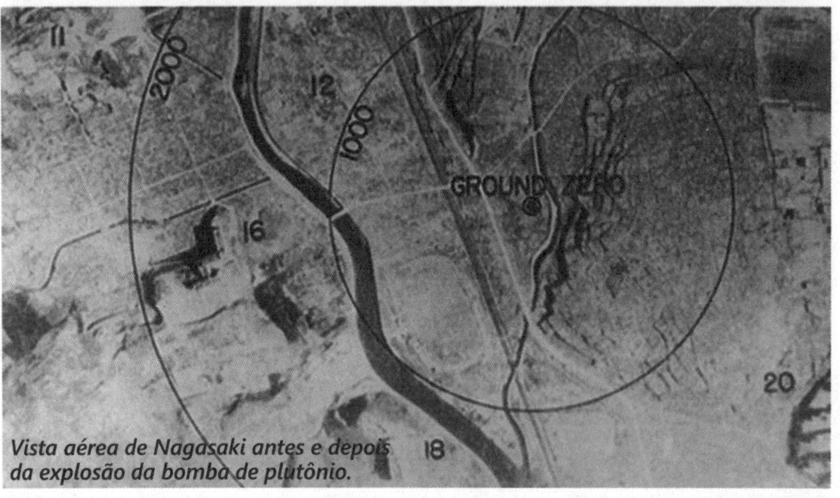

Vista aérea de Nagasaki antes e depois da explosão da bomba de plutônio.

Wikicommons

nuvens, porém, às 11h01 as nuvens se abriram, permitindo que o artilheiro do Bockscar, o capitão Kermit Beahan, tivesse contato visual com o alvo. Imediatamente, Beahan acionou os mecanismos que liberavam a arma nuclear. A bomba Fat Man, contendo cerca de 6,4 quilos de plutônio, foi lançada sobre o vale industrial da cidade. Ela explodiu 47 segundos mais tarde, a aproximadamente 503 +/- 10 metros, sobre uma quadra de tênis, próxima da siderúrgica e fábrica de armas da Mitsubishi e a fábrica de torpedos da Mitsubishi. O hipocentro da explosão ocorreu a cerca de três quilômetros ao noroeste do alvo planejado. A explosão foi confinada no vale Urakami, permitindo que uma grande parte da cidade ficasse protegida pelos morros. A força de explosão foi equivalente a aproximadamente 21 quilotons, gerando uma onda de calor de cerca de 3900°C, e ventos de mil quilômetros por hora.

O avião de observação Big Stink monitorou a explosão a 160 quilômetros de distância, sobrevoando, em seguida, o hipocentro. Devido aos atrasos na missão e à bomba de combustível defeituosa, o Bockscar não tinha autonomia para chegar ao campo de pouso de emergência em Iwo Jima. Assim, Sweeney dirigiu-se a Okinawa, onde, depois de voar em círculos durante 20 minutos sobre a cidade, tentando contatar a torre de controle e obter instruções para o pouso, concluiu que seu rádio também não estava operante. Com o nível de combustível criticamente baixo, o Bockscar mal podia chegar à pista de pouso de Yontan, em Okinawa. Desse modo, Sweeney aumentou a velocidade de pouso dos normais 190 km/h para 240 km/h e acionou fachos de socorro para alertar o pessoal do campo sobre suas condições. O segundo motor parou de funcionar por falta de combustível quando o avião fez a aproximação final. Tocando a pista de pouso violentamente, o pesado B-29 derrapou à esquerda, indo em direção a uma fila de bombardeiros B-24, antes que Sweeney e seu copiloto pudessem retomar os controles da aeronave. Os propulsores reversos do B-29 foram insuficientes para diminuir a velocidade do avião, e, com os dois pilotos de pé sobre os breques, o Bockscar deu uma guinada de 90° no final da pista para evitar cair no oceano.

Ao retornar a Tinian, Sweeney foi recebido com severidade devido aos atrasos e desvios ocorridos na missão que ele comandou. O coronel Tibbets escreveu mais tarde, em seu livro *Return of the Enola Gay* que teve de enfrentar o dilema de considerar "se alguma ação deveria ser tomada contra o comandante do avião, Charles Sweeney, por comando faltoso". De acordo com Donald Miller, em seu livro *The Story Of World War II*, depois de se reunir com o coronel Tibbets e o major Sweeney, o general da Força Aérea Americana e chefe da Força Aérea Estratégica Curtis LeMay confrontou Sweeney afirmando "você F* tudo, não foi Chuck?", então, LeMay virou-se para Tibbets e lhe disse que uma investigação sobre a conduta de Sweeney durante a missão não levaria a nada.

Wikicommons

A nuvem atômica sobre Nagasaki.

Nagasaki no Solo

A nuvem em forma de cogumelo da explosão nuclear sobre Nagasaki ergueu-se a 18 quilômetros acima do hipocentro. Embora o Fat Man fosse mais poderoso do que a bomba lançada sobre Hiroshima, o efeito de devastação foi confinado pelas colinas do estreito vale de Urakami. Dos 7,5 mil empregados japoneses que trabalhavam na fábrica de munição da Mitsubishi, entre eles, os estudantes mobilizados no esforço de guerra, 6,2 mil foram mortos. Entre 17 e 22 mil outros trabalhadores das fábricas localizadas no vale também morreram. Não se sabe ao certo qual o número de mortes ocorridas no momento da explosão. Calcula-se que foram entre 22 e 75 mil. Nos dias e meses seguintes à explosão, mais pessoas morreram devido aos efeitos das bombas. Por causa da presença de operários estrangeiros sem documentos e do grande número de militares em trânsito, há grande discrepância nas estimativas do total de óbitos no final de 1945. Diversos estudos apontam que o total das vítimas abrange uma faixa entre 39 e 80 mil.

Entre os militares, cento e cinquenta soldados japoneses morreram instantaneamente e, pelo menos, oito prisioneiros de guerra, mas o número pode ser maior. Um dos prisioneiros de guerra, Joe Kieyoomia, estava em Nagasaki no momento em que a bomba explodiu, mas sobreviveu aos seus efeitos devido à sua sela ser feita de concreto reforçado. O raio da destruição foi de cerca de 1,6 quilômetro, alastrando incêndios pela área ao norte da cidade até a zona ao sul. Aproximadamente 60% da fábrica de munições da Mitsubishi e cerca de 80% da siderúrgica Mitsubishi foram destruídos.

Depois do bombardeio de Nagasaki, os planos para uso de outras bombas A prosseguiram. Esperava-se que outra bomba atômica estivesse pronta para uso contra o Japão até 19 de agosto, ou seja, dez dias após o bombardeio de Hiroshima, e mais três em setembro e o mesmo número no mês seguinte. O líder do Projeto Manhattan, general Leslie Groves, passou a informação ao chefe do Estado-Maior, general George Marshall, que, por sua vez, endossou o memorando recebido de Groves com o comentário

Vista de Nagasaki depois da explosão da bomba atômica.

Wikicommons

de que "a bomba não deve ser lançada sobre o Japão sem a autorização expressa do presidente". De fato, Marshall cumpria uma ordem secreta do presidente Truman, a qual modificava a orientação anterior de que as cidades escolhidas para sofrerem um bombardeio nuclear deveriam ser atacadas tão logo as bombas estivessem prontas. Duas outras bombas de plutônio iguais à Fat Man foram produzidas para serem usadas em 19 de agosto, contudo, não foram embarcadas para a base de Tinian, uma vez que, finalmente, os japoneses se renderam.

A devastação de Nagasaki.

Shutterstock

Truman sobre Nagasaki

Em 9 de agosto, depois da explosão da bomba sobre Nagasaki, o presidente dos Estados Unidos Harry Truman escreveu, em seu diário, sobre o vulto do bombardeio, invocando Deus na orientação da nova arma de destruição em massa:

"Percebo o trágico significado da bomba atômica... é uma responsabilidade terrível que recai sobre nós... agradecemos a Deus que nós tenhamos conseguido isto, e não nossos inimigos; e oramos para que Ele nos guie para usá-la conforme a Sua vontade e os Seus propósitos".

A Rendição

Até 9 de agosto, o Conselho de Guerra Japonês insistia nas suas quatro condições para se render. Contudo, o segundo bombardeio atômico e a situação com a União Soviética alteraram esse quadro. Em seu livro de memórias, o mantenedor do Selo Real Koichi Kido relata que, no dia do bombardeio de Nagasaki, o imperador Hirohito lhe ordenou que "controlasse rapidamente a situação, porque a União Soviética declarou guerra contra nós". Kido teve uma conferência com os principais ministros do governo japonês, decidindo que o Japão aceitaria os termos dos Aliados com uma única condição, a de que a declaração não fizesse quaisquer demandas que prejudicassem as prerrogativas do Imperador Hirohito como soberano do Japão.

Em 12 de agosto, o imperador informou à família real sua decisão. Os termos do tratado, com efeito, deixaram intacto o princípio da preservação do trono, e no dia 14 de agosto, Hirohito fez o anúncio de capitulação, transmitido a todo o Japão por rádio no dia seguinte. Houve, porém, uma pequena rebelião de militares que se opunham à rendição. No entanto, a revolta foi rapidamente sufocada. O édito do imperador, publicado no site da *Yosha Research*, menciona as bombas atômicas lançadas sobre Hiroshima e Nagasaki: "Além do mais, o inimigo agora possui uma nova e terrível arma com o poder de destruir muitas vidas inocentes e produzir um dano incalculável. Se continuarmos a lutar, isso não só resultaria no colapso e destruição total da nação japonesa, mas também levaria à completa extinção da civilização humana. Sendo este o caso, como devemos salvar os milhões dos nossos súditos ou como iremos expiar a nós mesmos diante dos santos espíritos dos nossos ancestrais imperiais? Esta é a razão pela qual nos ordenamos a aceitação das provisões da Declaração Conjunta das Potências".

No seu Édito aos Soldados e Marinheiros, pronunciado em 17 de agosto, o imperador Hirohito enfatizou o impacto da invasão soviética como causa principal da sua decisão de se render, omitindo qualquer

Aviões caça americanos voam em formação sobre o porta-aviões USS Missouri (Baía de Tóquio), durante as cerimônias para celebrar a paz, em 2 de setembro de 1945.

menção às bombas. Contudo, quando o imperador encontrou-se com o general MacArthur, em 27 de setembro, ele disse ao general de campo americano que o motivo da rendição foi, de fato, o bombardeio atômico sobre o Japão. Nessa ocasião ele admitiu que, no dia seguinte ao lançamento da bomba sobre Nagasaki, ordenara que seus assessores escrevessem um discurso de rendição, no qual estabelecia três motivos principais para não prosseguir com a guerra.

Segundo o escritor Robert Harvey, autor da história sobre o papel do general MacArthur na reconstrução do Japão, *American Shogun: General MacArthur, Emperor Hirohito and the Drama of Modern Japan*, os motivos alegados por Hirohito a MacArthur foram: o fato de que as defesas de Tóquio não estariam prontas antes da invasão americana, que o Santuário de Ise, dedicado à Deusa do Sol Amaterasu, seria tomado pelos americanos e que as armas atômicas levariam ao extermínio de toda a raça japonesa.

Winston Churchill sobre a Bomba A

Churchill registrou o seguinte relato a respeito do lançamento das bombas atômicas sobre o Japão:

"Fato histórico, a ser julgado pela posteridade, que a decisão de usar ou não a bomba atômica para forçar a rendição do Japão nunca tenha sido objeto de debate. Houve um acordo unânime, automático e incontestável em torno de nossa mesa; e jamais ouvi, tampouco, a menor sugestão de que devêssemos ter agido de outra maneira.

"Uma questão mais complexa era o que dizer a Stalin. O presidente (americano) e eu já não achávamos precisar de sua ajuda para conquistar o Japão. Ele dera sua palavra, em Teerã e em Ialta, de que a Rússia soviética atacaria o Japão assim que o exército alemão fosse derrotado e, em consonância com isso, uma movimentação contínua de tropas russas em direção ao Extremo Oriente vinha progredindo pela Ferrovia Transiberiana desde o começo de maio. Em nossa opinião, era improvável que elas fossem necessárias. Portanto, desaparecera o poder de barganha de Stalin, que ele empregara com eficácia junto aos norte-americanos em Ialta. Contudo, ele fora um aliado magnífico na guerra contra Hitler e ambos sentíamos que devia ser informado do grande fato novo que agora dominava o cenário, embora não de nenhum dado específico. Como lhe transmitiríamos a notícia? Conviria fazê-lo por escrito ou verbalmente? "Deveríamos fazê-lo numa reunião formal e especial, ou no curso de nossas conferências diárias, ou após uma delas? A conclusão a que o presidente chegou foi a última dessas alternativas. 'Penso', disse ele, 'que é melhor eu apenas lhe dizer, depois de um de nossos encontros, que temos uma forma inteiramente nova de bomba, uma coisa muito fora do comum, que achamos que terá efeitos decisivos na vontade japonesa de continuar em guerra.' Concordei com esse método.

"O ataque devastador ao Japão prosseguia por ar e por mar. No fim de julho, a marinha japonesa tinha praticamente sido destruída. O país estava mergulhado no caos e à beira do colapso. Os diplomatas profissionais estavam convencidos de que somente uma rendição imediata, sob a autoridade do Imperador, poderia salvar o Japão da desintegração total. Mas o poder ainda estava quase inteiramente nas mãos de uma casta militar, determinada a comprometer a nação com o suicídio em massa para não aceitar a derrota. A aterradora destruição que confrontava o país não impressionava nem um pouco essa hierarquia fanática, que continuava a professar a crença em algum milagre que viraria a mesa em favor deles.

"Em várias discussões prolongadas apenas com o Presidente, ou na presença de seus assessores, discuti o que fazer. Discorri sobre o custo tremendo em vidas norte-americanas e, em escala um pouco menor, britânicas, se impuséssemos a 'rendição incondicional' aos japoneses. Cabia a ele considerar se isso não poderia ser expresso de outra maneira, de modo que obtivéssemos todos os pontos essenciais para a paz e a segurança futuras, mas, ainda assim, deixássemos aos japoneses alguma aparência de haverem salvo sua honra militar e alguma garantia de sua sobrevivência nacional, depois que eles houvessem atendido a todas as salvaguardas necessárias ao vencedor. O Presidente respondeu em tom abrupto; depois de Pearl Harbor, não lhe parecia que os japoneses tivessem sem qualquer honra militar. Contentei-me em dizer que, como quer que fosse, eles tinham algo pelo qual estavam dispostos a enfrentar a morte certeira, em números maciços, e que isso talvez não fosse tão importante para nós quanto era para eles. Nesse ponto, o Presidente mostrou-se muito compreensivo e, como fizera o sr. Stimson, falou das terríveis responsabilidades que pesavam sobre ele pelo derramamento ilimitado do sangue norte-americano.

"Acabou ficando decidido enviarmos um ultimato, exigindo a rendição imediata e incondicional das forças armadas do Japão. Esse documento foi divulgado em 26 de julho. Seus termos foram rejeitados pelos governantes militares do Japão e, por conseguinte, a Força Aérea dos Estados Unidos fez seus planos para lançar uma bomba atômica em Hiroshima e outra em Nagasaki. Concordamos em dar todas as oportunidades aos habitantes. O método foi detalhadamente elaborado. Para minimizar a perda de vidas humanas, onze cidades japonesas foram avisadas, através de panfletos lançados em 27 de julho, de que seriam submetidas a intenso bombardeio aéreo. No dia seguinte, seis delas foram atacadas. Outras doze foram avisadas em 31 de julho e quatro foram bombardeadas em 1° de agosto. O último aviso foi dado em 5 de agosto. A essa altura, os aviões Superfortaleza Voadora informaram haver lançado 1,5 milhão de folhetos todos os dias e 3 milhões de cópias do ultimato. A primeira bomba atômica só foi lançada em 6 de agosto.

"Em 9 de agosto, a bomba de Hiroshima foi seguida por uma segunda, dessa vez, lançada sobre a cidade de Nagasaki. No dia seguinte, apesar da insurreição de alguns extremistas militares, o governo japonês concordou em aceitar o ultimato, desde que isso não prejudicasse a prerrogativa do Imperador como governante soberano. As esquadras dos aliados entraram na Baía de Tóquio e, na manhã de 2 de setembro, o documento formal de rendição foi assinado a bordo do couraçado norte-americano Missouri. A Rússia havia declarado guerra em 8 de agosto, apenas uma semana antes."

Winston Churchill, *Memórias da Segunda Guerra*

Mortes Durante a II Guerra Mundial						
País	População em 1939	Soldados	Civis	Judeus	Total de mortos	% sobre a população
África do Sul	10 160 000	11 900			11 900	0,12%
Albânia	1 073 000	28 000		200	28 200	2,63%
Alemanha	69 623 000	5 533 000	1 810 000	160 000	7 503 000	10,77%
Austrália	6 998 000	39 400	700		40 100	0,57%
Áustria	6 653 000		40 000	65 000	105 500	1,59%
Bélgica	8 387 000	12 100	49 600	24 400	86 100	1,02%
Birmânia	16 119 000	22 000	250 000		272 000	1,16%
Brasil	48 165 289	443	1 081		1 524	0,01%
Bulgária	6 458 000	22 000	3 000		25 000	0,38%
Canadá	11 267 000	45 300			45 300	0,40%
China	517 568 000	3 800 000	16 200 000		20 000 000	3,86%
Coreia	23 400 000		60 000		60 000	0,26%
Cuba	4 235 000		100		100	0,00%
Checoslováquia	15 300 000	25 000	43 000	277 000	345 000	2,25%
Dinamarca	3 795 000	2 100	1 000	100	3 200	0,08%
Espanha	25 637 000	4 500			4 500	0,02%
Estados Unidos	131 028 000	416 800	1 700		418 500	0,32%
Estônia	1 134 000		40 000	1 000	41 000	3,62%
Etiópia	17 700 000	5 000	95 000		100 000	0,6%
Filipinas	16 000 000	57 000	90 000		147 000	0,92%
Finlândia	3 700 000	95 000	2 000		97 000	2,62%
França	41 700 000	212 000	267 000	83 000	562 000	1,35%
Grécia	7 222 000	20 000	220 000	71 300	311 300	4,31%
Hungria	9 129 000	300 000	80 000	200 000	580 000	6,35%
Ilhas do Pacífico	1 900 000		57 000		57 000	3,00%
Índia	378 000 000	87 000	1 500 000		1 587 000	0,42%
Indochina Francesa	24 600 000		1 000 000		1 000 000	4,07%
Indonésia	69 435 000		4 000 000		4 000 000	5,76%
Irã	14 340 000	200			200	0,00%
Iraque	3 698 000	1 000			1 000	0,03%
Irlanda	2 960 000		200		200	0,00%
Islândia	119 000		200		200	0,17%
Itália	44 394 000	560 400	145 100	8 000	454 500	1,5%
Iugoslávia	15 400 000	446 000	514 000	67 000	1 027 000	6,67%
Japão	71 380 000	2 100 000	580 000		2 680 000	3,75%
Letônia	1 995 000		147 000	80 000	227 000	11,38%

Mortes Durante a II Guerra Mundial						
País	População em 1939	Soldados	Civis	Judeus	Total de mortos	% sobre a população
Lituânia	2 575 000		212 000	141 000	353 000	13,71%
Luxemburgo	295 000		1 300	700	2 000	0,68%
Malásia	4 391 000		100 000		100 000	2,28%
Malta	269 000		1 500		1 500	0,56%
México	19 320 000	85	23		108	0.00%
Mongólia	819 000	300			300	0.04%
Nova Zelândia	1 629 000	11 900			11 900	0,67%
Noruega	2 945 000	3 000	5 800	700	9 500	0,32%
Países Baixos	8 729 000	7 900	88 900	106 000	202 800	2,32%
Polônia	34 849 000	160 000	2 440 000	3 000 000	5 600 000	16,07%
Reino Unido	47 760 000	382 600	67 800		450 400	0,94%
Romênia	19 934 000	300 000	64 000	469 000	833 000	4,22%
Singapura	728 000		50 000		50 000	6,87%
Suécia	6 341 000		200		200	0,00%
Suíça	4 210 000		100		100	0,00%
Tailândia	15 023 000	5 600	300		5 900	0,04%
Terra Nova	300 000	1 000	100		1 100	0,37%
Timor Português	500 000		55 000		55 000	11,00%
União Soviética	168 500 000	10 700 000	11 400 000	1 000 000	23 100 000	13,71%
Total	**1 961 913 000**	**25 160 000**	**41 690 200**	**5 754 400**	**59 604 600**	**3,04%**

Fonte: The Complete Illustrated History of World War Two: An Authoritative Account of the Deadliest Conflict in Human History with Analysis of Decisive Encounters and Landmark Engagements, de Donald Sommerville, Lorenz Books, 2008 – exceto os dados sobre o Brasil, cuja fonte é O Brasil na mira de Hitler", de Roberto Sander, Editora Objetiva, 2007.

Hiroshima

Com o segundo bombardeio atômico e a situação com a declaração de guerra da União Soviética, o imperador Hirohito e os principais ministros do governo japonês decidiram que o Japão aceitaria os termos dos Aliados com uma única condição: a de que a declaração não fizesse quaisquer demandas que prejudicassem as prerrogativas do imperador Hirohito como soberano do Japão. Desse modo, em 2 de setembro de 1945, o Japão se rendeu, pondo um fim à guerra mais sangrenta que a humanidade jamais vivera. No total, cerca de cinquenta milhões de pessoas, a maioria civis (cerca de 33 milhões), morreram, e uma nova ordem mundial foi instaurada. Na verdade, para muitos historiadores, a Segunda Guerra Mundial levou ao início de um novo período na História.

Petroleiro torpedeado por submarino U-71, em 1942.

Wikicommons

O BRASIL NA GUERRA

Durante a Segunda Guerra, o governo brasileiro estava sob um regime ditatorial comandado por Getúlio Vargas: o Estado Novo (1937 – 1945). No início do conflito, a administração Vargas se mostrava indefinida. Ao mesmo tempo em que contraía empréstimos com os Estados Unidos, comandava o Estado Novo num regime semelhante ao totalitarismo nazifascista. O apoio do Brasil foi disputado tanto pelas potências do Eixo, embora de forma um pouco velada, como pelos aliados, especialmente os americanos. De fato, Washington via com preocupação a possibilidade de o Brasil apoiar os nazistas, cedendo pontos estratégicos a eles. Buscando atrair o Brasil para o lado dos aliados, os americanos liberaram, em 1940, um empréstimo de 20 milhões de dólares para a construção da Usina de Volta Redonda. No ano seguinte, os Estados Unidos entraram no conflito e pressionaram o Brasil para também declarar guerra aos países do Eixo.

Getúlio Vargas e o Estado Novo

Getúlio Dornelles Vargas (1882 - 1954) estudou Direito depois de ter sido expulso da Escola Militar por tomar parte num motim. Ativo como político desde 1909, ocupou, a partir de 1923, uma cadeira de deputado federal, tornando-se líder da bancada gaúcha. Em 1926, durante o governo de Washington Luís, foi ministro da Fazenda, mas deixou o cargo no ano seguinte para assumir o governo do estado do Rio Grande do Sul.

Em 1930, foi um dos líderes do movimento armado que acabou com a política do café-com-leite, onde mineiros e paulistas se revezavam na Presidência da República. Descontentes, os líderes revolucionários depuseram Washington Luís e empossaram Getúlio como chefe do governo provisório.

O governo que Getúlio instaurou acabou por desagradar setores poderosos da sociedade brasileira, mas conquistou o inestimável apoio dos trabalhadores, promovendo importantes medidas sociais proteladas pelos governos da Nova República.

Getúlio tomou posse promovendo a anistia dos rebeldes das Revoluções de 1922 e 1924, modificando o sistema eleitoral, incentivando a policultura e criando o Ministério do Trabalho. Em novembro, suspendeu a Constituição e nomeou interventores em todos os estados, exceto em Minas, que havia abandonado seu antigo parceiro, São Paulo, e apoiado os estados rebeldes durante o golpe. Getúlio também dissolveu o Congresso, as assembleias estaduais e as câmaras municipais. O presidente tornou-se, dessa forma, a única fonte de poder.

Além das medidas de centralização política, o ditador promulgou outras que visavam colocar a economia sob controle do governo central. Os estados foram proibidos de contratar empréstimos externos sem autorização federal, e o governo federal passou a controlar o câmbio, por meio da monopolização, pelo Banco do Brasil, de compra e venda de moeda estrangeira, passando, assim, a ter controle absoluto sobre o comércio exterior. Como medida adicional, o governo começou a controlar os sindicatos e as relações trabalhistas. Getúlio também organizou instituições para intervir no setor agrícola de todo o Brasil, uma forma de enfraquecer o poder dos estados, até então autônomos, e dos fazendeiros – então, poderosa força econômica e política.

Os cafeicultores de São Paulo sentiram-se particularmente insatisfeitos com as medidas de Getúlio. Além de perder a prerrogativa de eleger presidentes paulistas, o Estado estava sendo governado por um interventor imposto por Getúlio, o pernambucano João Alberto, considerado "forasteiro". Como resultado, em 1932, Getúlio enfrentou o levante de São Paulo, que exigia a promulgação de uma nova Constituição. Apesar de ter derrotado os rebeldes, o ditador não pôde deixar de realizar as eleições para a Constituinte.

Um ano antes, a nova lei eleitoral instituída por Vargas trazia importantes novidades como o voto secreto. Getúlio também criou a Justiça Eleitoral, a extensão do direito de votar e de serem votadas para as mulheres e a participação, na Assembleia Constituinte, de certo número de representantes de sindicatos de trabalhadores e de patrões, dos profissionais liberais e dos funcionários públicos. As eleições foram marcadas para maio de 1933. Entre os 254 parlamentares eleitos, estava a primeira mulher a ocupar uma cadeira no Parlamento, a paulista Carolina Pereira de Queiróz. A Constituinte mudou as feições do Brasil.

Garantindo o controle sobre os meios de comunicação e por conta das reformas sociais, Getúlio conquistou o povo e, agradando os militares, garantiu apoio das Forças Armadas. Foi eleito pelo Congresso em 1934 e se tornou presidente de direito. Mas o ambicioso ditador não tencionava abrir mão do poder. Fazendo bom uso da propaganda política, Getúlio manobrou com o golpe de Estado que os comunistas tentaram dar em 1935. Obtendo poderes adicionais do Congresso, Getúlio conseguiu aprovação do estado de sítio e promoveu uma violenta repressão. Em 1937, foi divulgado um plano falso de golpe tramado pelos comunistas. Foi a desculpa que Vargas usou para dar ele próprio o golpe. Em 10 de novembro de 1937, a polícia de Vargas fechou o congresso, consumando o golpe e instaurando o Estado Novo.

Getúlio governou com poderes ditatoriais até ser deposto em 1945. "Com a ditadura vieram a censura à imprensa, o culto à personalidade de Getúlio, o controle dos sindicatos operários, as prisões arbitrárias", escreve Jorge Caldeira em seu livro *Viagem pela História do Brasil*. A Constituição outorgada pelo presidente garantia quase tudo ao governo e praticamente nada aos cidadãos. O lenitivo à insatisfação provocada pela ditadura era o plano de rápida industrialização do País. De fato, durante o Estado Novo, a indústria cresceu e aumentou sua participação na economia brasileira. Mas buscando o desenvolvimento industrial, Getúlio se aliou aos americanos e acabou envolvendo o Brasil na Segunda Guerra Mundial, em troca, entre outras coisas, da siderúrgica de Volta Redonda.

A entrada do país na guerra acabou, porém, aumentando o descontentamento com relação ao Estado Novo. Com a vitória dos aliados, em maio de 1945, as manifestações contra a ditadura cresceram. Sob pressão, em outubro daquele ano, Getúlio renunciou depois de 15 anos no poder.

Mesmo destituído do comando da nação, Getúlio continuou a influir na vida política e partidária do País, colocando-se na oposição ao presidente eleito em 1946, Eurico Gaspar Dutra. O modelo do Estado Novo, em que o Estado era responsável pelo desenvolvimento, permitiu que Getúlio voltasse à cena política. Candidato à presidência em 1950, elegeu-se com 48,7% dos votos. Mas o aumento da interferência do governo na economia provocou uma forte oposição a Vargas. Em 1954, seu chefe de polícia tramou, sem o conhecimento de Getúlio, um atentado contra o jornalista Carlos Lacerda, um dos maiores detratores do presidente. A oposição exigiu a renúncia. Vargas, porém, resolveu o impasse político suicidando-se com um tiro no coração, no Palácio do Catete, em 24 de agosto de 1954. Saía da vida para entrar na História.

Sob Vargas, o Brasil se modernizou. Deixou de ter uma economia exclusivamente agrária e baseada na monocultura e estabeleceu as bases da industrialização. Os avanços sociais, como as garantias aos trabalhadores, incluíram uma parte da população antes desconsiderada pelas elites governantes. Apesar do paternalismo e da supressão de liberdade, Getúlio deixou uma base industrial estatal sobre a qual o presidente seguinte, Juscelino Kubitschek, pôde instituir um novo modelo de desenvolvimento.

Ataques ao Brasil

Em fevereiro de 1942, submarinos alemães e italianos receberam ordens de torpedear navios brasileiros no Atlântico em represália à adesão do Brasil aos compromissos da Carta do Atlântico – um pacto que previa o alinhamento automático com qualquer nação do continente americano que fosse atacada por uma potência extracontinental. A adesão punha, com efeito, fim à neutralidade do Brasil. Pouco tempo depois, navios mercantes brasileiros foram atacados e afundados por submarinos alemães. Foi a gota d´água para que, em agosto de 1942, o país entrasse oficialmente na guerra ao lado dos aliados.

Na Segunda Guerra Mundial, os ataques aos navios da Marinha Mercante Brasileira pelos submarinos do Eixo causaram, entre 1941 e 1944, a morte de mais de mil pessoas e precipitaram a entrada do Brasil no conflito. Foram 35 navios atacados, dos quais 33 afundaram. A não ser pelo ataque aéreo ao navio Taubaté, todos os demais foram cometidos por submarinos alemães e italianos e aconteceram depois que o Brasil rompeu relações diplomáticas com o Eixo, em 28 de janeiro de 1942. Embora navios de pequenas empresas marítimas também fossem atacados, a maioria das embarcações era de navios mercantes ou mistos (cargueiro e de passageiros) de grandes companhias de navegação da época – o Lloyd Brasileiro, o Lloyd Nacional e a Costeira. A marinha brasileira também sofreu uma única baixa, com o afundamento do navio-auxiliar Vital de Oliveira, o último a ser torpedeado, em

19 de julho de 1944. Os ataques aos navios Cabedelo e Shangri-lá não deixaram sobreviventes.

Navios Brasileiros Atacados Durante a Segunda Guerra

Data	Navio	Tipo / Tonelagem	Comandante	Agressor / Causa	Local e Posição	Salvos	Mortos
22 de março de 1941	Taubaté	cargueiros 5 099	Mário Fonseca Tinoco	Ataque aéreo	Egito Mar Mediterrâneo	12	1
15 de fevereiro de 1942	Buarque	cargueiros/ passageiros 5 152	João Joaquim de Moura	U-432 torpedo	Estados Unidos costa da Carolina do Norte	84	1
18 de fevereiro de 1942	Olinda	cargueiros 4 085	Jacob Benemond	U-432 tiros de canhão	Estados Unidos costa da Virgínia	46	0
25 de fevereiro de 1942	Cabedello	cargueiros 3 557	Pedro Veloso da Silveira(†)	Da Vinci (submarino) torpedo	Atlântico Norte-Central	0	54
7 de março de 1942	Arabutan	cargueiros 7 874	Aníbal Alfredo do Prado	U-155 torpedo	Estados Unidos costa da Carolina do Norte	50	1
8 de março de 1942	Cayrú	cargueiros/ passageiros 5 152	José Moreira Pequeno(†)	U-94 torpedo	Estados Unidos costa de Nova York	36	53
1º de maio de 1942	Parnahyba	cargueiros 6 692	Raul Francisco Diégoli	U-162 torpedo	Atlântico Norte-Central	65	7
18 de maio de 1942	Commandante Lyra	cargueiros 5 052	Severino Sotero de Oliveira	Barbarigo torpedo	Atlântico Norte-Central a 900 km a NE de Natal	50	2
24 de maio de 1942	Gonçalves Dias	cargueiros 4 996	João Batista G. de Figueiredo	U-502 torpedo	Mar do Caribe	46	6
1º de junho de 1942	Alegrete	cargueiros 5 970	Eurico Gomes de Sousa	U-156 torpedo	Mar do Caribe	64	0
5 de junho de 1942	Paracuri (Paracury)	veleiros 265	n/d	U-159 tiros de canhão	Mar do Caribe	n/d	n/d
26 de junho de 1942	Pedrinhas	cargueiros 3 666	Ernesto Mamede Vidal	U-203 torpedo	Atlântico Norte 500 km a NE de Porto Rico	48	0
26 de julho de 1942	Tamandaré	cargueiros 4 942	José Martins de Oliveira	U-66 torpedo	Atlântico Norte-Central a NE de Trinidad e Tobago	48	4
28 de julho de 1942	Barbacena	cargueiros 4 772	Aécio Teixeira da Cunha	U-155 torpedo	Oceano Atlântico a leste de Barbados	56	6
28 de julho de 1942	Piave	navios-tanque 2 347	Renato Ferreira da Silva(†)	U-155 torpedo	Oceano Atlântico 100 mn a leste de Barbados	34	1
15 de agosto de 1942	Baependy	passageiros 4 801	João Soares da Silva(†)	U-507 torpedo	Brasil ao largo da foz do Rio Real, divisa de Sergipe e Bahia	36	270
15 de agosto de 1942	Araraquara	passageiros 4 871	Lauro Augusto Teixeira de Freitas(†)	U-507 torpedo	Brasil ao largo da foz do Rio Real	11	131
16 de agosto de 1942	Annibal Benevolo	passageiros 1 905	Henrique Jacques Mascarenhas	U-507 torpedo	Brasil costa norte da Bahia	4	150
17 de agosto de 1942	Itagibe	passageiros 2 169	José Ricardo Nunes	U-507 torpedo	Brasil, costa da Bahia	145	36

17 de agosto de 1942	Arará	cargueiros 1 075	José Coelho Gomes	U-507 torpedo	Brasil, costa da Bahia	15	20
19 de agosto de 1942	Jacyra	barcaças de carga 89	Norberto Hilário dos Santos	U-507 explosivos	Brasil ao largo de Ilhéus, Bahia	6	0
28 de setembro de 1942	Ozorio	cargueiros 2 730	Almiro Galdino de Carvalho(†)	U-514 torpedo	Brasil costa do Pará	34	5
28 de setembro de 1942	Lages	cargueiros 5 472	Osvaldo Simões da Silva	U-514 torpedo	Brasil costa do Pará	46	3
28 de setembro de 1942	Antonico	cargueiros 1 223	Américo de Moura Medeiros(†)	U-516 torpedo	Guiana Francesa	24	16
3 de novembro de 1942	Porto Alegre	cargueiros 5 187	José Francisco P. de Medeiros	U-504 torpedo	África do Sul ao largo de Port Elizabeth	57	1
22 de novembro de 1942	Apaloide	cargueiros 3 766 .	José dos Santos Silva	U-163 torpedo	Oceano Atlântico a leste das Pequenas Antilhas	52	5
18 de fevereiro de 1943	Brasiloide	cargueiros 6 075	Eurico Gomes de Souza	U-518 torpedo	Brasil, costa da Bahia	50	0
2 de março de 1943	Affonso Penna	cargueiros/ passageiros 3 540	Euclides de Almeida Basílio	Barbarigo torpedo	Brasil, costa da Bahia	117	125
1º de julho de 1943	Tutoya	cargueiros 1 125	Acácio de Araújo Farias(†)	U-513 torpedo	Brasil, costa de São Paulo	30	7
4 de julho de 1943	Pelotaslóide	cargueiros 5 228	Jony Pereira Máximo	U-590 torpedo	Brasil ao largo de Salinópolis, Pará	37	5
22 de julho de 1943	Shangri-lá	pesqueiros 20	João da Costa Marques(†)	U-199 tiros de canhão	Brasil costa do Rio de Janeiro	0	10
31 de julho de 1943	Bagé	cargueiros/ passageiros 8 235	Arthur Monteiro Guimarães(†)	U-185 torpedo	Brasil, costa entre de Sergipe e Bahia	106	28
26 de setembro de 1943	Itapagé	passageiros 4 998	Antônio da Barra	U-161 torpedo	Brasil litoral de Alagoas	50	22
23 de outubro de 1943	Campos	cargueiros/ passageiros 4 663	Mário Amaral Gama	U-170 torpedo	Brasil litoral de São Paulo	51	12
19 de julho de 1944	Vital de Oliveira	navios auxiliares 1 737	Cap. João Batista M.G. Roxo	U-861 torpedo	Brasil ao largo do Farol de São Tomé, Rio de Janeiro	176	99

Total: 1.081 mortos

(†) Comandante do navio morto no evento.
(d) Navio danificado, não houve o afundamento da embarcação.
O prefixo "U" refere-se aos "U-boats", submarinos alemães.
Fonte: "O Brasil na mira de Hitler", de Roberto Sander, Editora Objetiva, 2007.

Wikicommons

Comboio aliado cruzando o Atlântico em 1942.

A localização estratégica do Brasil era fundamental para o esforço de guerra. O país cedeu bases navais e aéreas em seu território. Natal, no Rio Grande do Norte, foi centro de abastecimento dos aviões de guerra americanos e base naval antissubmarino.

Além das bases, em 1943, foi organizada a Força Expedicionária Brasileira (FEB), destacamento militar que lutou na Segunda Guerra Mundial. Quase um ano depois, as tropas começaram a ser enviadas, apoiadas, também, pela Força Aérea Brasileira (FAB). A principal ação militar brasileira aconteceu principalmente na campanha da Itália, onde os brasileiros combateram ao lado dos americanos na libertação do país, ainda parcialmente sob controle dos alemães. A FEB era uma entre 20 divisões aliadas na Itália, tendo atuado num setor secundário – mas não menos importante – da frente italiana. Os brasileiros conquistaram vitórias consideráveis, tomando cidades e áreas estratégicas, como o Monte Castelo, Turim, Montese, entre outras. Mais de 14 mil alemães se renderam aos homens da FEB.

Entre 1944 e 1945, mais de 25 mil soldados brasileiros foram enviados para a Europa, além de 48 pilotos e 400 homens de apoio da Força Aérea Brasileira (FAB). A FEB lutou em duas frentes: a primeira, no rio Serchio, no outono de 1944, e a segunda e mais difícil, a do rio Reno, ao norte de Pistoia, na cordilheira dos Apeninos. Foi nesse contexto que a FEB, partindo do Quartel-General de Porretta-Terme, conquistou Monte Castelo, em 22 de fevereiro, e Montese, em 14 de abril.

Foram vitórias árduas. Os homens da FEB, treinados no Brasil e nos Estados Unidos, enfrentaram dificuldades adicionais, como o frio dos montes Apeninos, que atravessam toda a Itália, e o combate em território montanhoso.

A campanha brasileira na Itália terminou em 2 de maio de 1945, quando foi declarado o cessar-fogo no front italiano. Segundo o historiador Anderson Luiz Salafia, de um total de 25.445 soldados enviados ao front, o Brasil contabilizou 443 baixas e cerca de 3.000 feridos. "Sobre a composição da tropa, que consistiu em uma Divisão de Infantaria Expedicionária, 98% dos oficiais eram militares de carreira, enquanto entre os praças, 49% eram civis que foram recrutados para a luta", informa Salafia.

Unidades Integrantes da Divisão de Infantaria Expedicionária

- 1º Regimento de Infantaria, Sampaio – RJ. (152 baixas)
- 6º Regimento de Infantaria, Caçapava – SP. (109 baixas)
- 11º Regimento de Infantaria, São João Del Rei – MG. (134 baixas)

4 Grupos de Artilharia

- 9º Batalhão de Engenharia, Aquidauana – MT.
- 1 Esquadrão de Reconhecimento (cavalaria).
- 1º Batalhão de Saúde, organizado em Valença.
- Tropas especiais, corpos auxiliares e 67 enfermeiras.

Fonte: Portal FEB

O Rancho

Para atender à demanda por alimentos, foram criadas e distribuídas pelo exército americano a ração de combate, que eram porções individuais de comida de fácil transporte e consumo. Existiram diferentes tipos de ração: de assalto, tipo K; de combate, tipo C; operacional (de consumo diário), tipo B, e para uso emergencial, tipo D. As embalagens continham produtos enlatados e, por essa razão, continham abridores do tipo P-38, especialmente projetados para o combate. Eram pequenos, dobráveis e com um furo para que pudessem ser carregados junto ao cordão da placa de identificação do combatente.

Rações Tipo K

Eram separadas em três pequenas caixas equivalentes a três refeições que pouco variavam – quase sempre o que mudava era a fonte de proteína:

Desjejum – Carne e ovos (alimento processado em lata), cereal, barra de frutas, açúcar; também eram distribuídos goma de mascar, cigarros e fósforos, os quais eram dados também nas outras refeições.

Almoço – Queijo, limonada ou laranjada, torrões de açúcar;

Jantar – Carne, biscoitos, chocolate – os últimos distribuídos para complementar as necessidades calóricas dos combatentes.

Rações Tipo C

Enlatadas, já eram projetadas para um uso mais frequente do que as rações de assalto do tipo K, pois eram mais elaboradas e mais calóricas. Eram seis latas douradas que pesavam 340 gramas e que totalizavam 3.800 kcal. Continham:

Pacote de biscoitos, torrões de açúcar, latas de apresuntado, processado de frango ou peru, barra de frutas, caramelos, barra de chocolate concentrado, pó de café, limonada ou laranjada, goma de mascar, quatro maços de cigarro, papel higiênico, colher de pau e fósforos.

Rações Tipo M

Carne e feijão, carne e guisado de legumes, carne e espaguete, presunto, ovos e batata, carne de porco e arroz, feijão (com carne de porco ou presunto) e frango com legumes.

Rações Tipo B

A principal diferença entre a ração tipo B e as demais é que ela era mais elaborada do que as outras. Era o alimento destinado para alimentação diária dos combatentes em situação normal. Esses alimentos, embora muito parecidos com os demais tipos de ração, poderiam ser produzidos nas cozinhas de campanha.

Os produtos de base eram os mesmos, produtos enlatados, altamente processados e bastante calóricos. Essas refeições geralmente eram embaladas para o consumo em grupos de 5 a 10 combatentes. Um menu típico com esses itens enlatados continha manteiga, café solúvel, pudim, carne, compotas, leite em pó, legumes, biscoitos, cereais, bebidas, doces, sal e açúcar. Além dos alimentos, o kit também continha cigarros, fósforos, abridor de lata, papel higiênico, sabonete, toalhas e pastilhas para purificar água.

Rações Tipo D

Ração de emergência, destinada apenas a garantir a sobrevivência, e não suprir as necessidades reais dos combatentes. Era uma barra de chocolate altamente concentrada e calórica com 6 tabletes.

FAB

A aviação brasileira também apoiou os Aliados com o 1º Grupo de Aviação de Caça criado em 18 de dezembro de 1943. Os pilotos do grupo, que ficou conhecido pelo seu lema "Senta a Pua!", eram todos voluntários. O Grupo era constituído inicialmente por 4 esquadrilhas, nas cores vermelha (letra A pintada no avião), amarela (B), azul (C) e verde (D). Posteriormente, devido ao grande número de baixas na esquadrilha Amarela, passaram a ser apenas três. As missões dadas aos brasileiros envolviam ataque a pontes, depósitos de munição e veículos de transporte. O início das operações em território italiano ocorreu em 31 de outubro de 1944. Em 6 de novembro de 1944, o grupo teve sua primeira baixa. O 2º tenente, aviador John Richardson Cordeiro e Silva, foi derrubado pelo fogo antiaéreo em Bolonha. Seu avião caiu em linhas aliadas. Em 11 de novembro, o 1º GC começou a voar com esquadrilhas compostas exclusivamente de pilotos da FAB, com alvos próprios. As principais ações dos pilotos brasileiros foram realizadas nos primeiros meses do ano seguinte. De acordo com Guilherme Wiltgen, editor do portal Poder Aéreo[1], em 10 de fevereiro de 1945, uma esquadrilha do 1º GC, voltando de uma missão, avistou grande concentração de caminhões, destruindo 80 deles, além de três prédios. Em 20 de fevereiro, o Grupo apoiou a FEB na tomada do Monte Castelo. Em 21 de março, o grupo bombardeou uma oficina de conserto de ferrovia, no Vale do Pó: um impacto direto destruiu quatro edifícios e, no voo de regresso, destruíram 3 Savoia-Marchetti SM.79, no Campo de Gallarate.

1 (http://www.aereo.jor.br/)

Baixas do 1º Grupo de Aviação de Caça

• Dos 48 pilotos do 1º GAC, 22 perderam a vida, além de quatro oficiais vítimas de acidentes de aviação.
• 5 mortos em combate, abatidos pela artilharia antiaérea inimiga.
• 8 abatidos pela artilharia antiaérea inimiga e feitos prisioneiros.
• 6 afastados do serviço por prescrição médica em virtude de esgotamento físico.
• 3 mortos em acidentes de aviação.

Oficiais Mortos em Combate

• 2º Ten. John Richardson Cordeiro e Silva – morto em ação nos arredores de Bolonha, em 06/11/1944.
• Ten. João Mauricio Campos de Medeiros – morto em ação, próximo de Alexandria, no dia 02/01/1945.
• 1º Ten. Aurélio Vieira Sampaio – abatido próximo de Milão, no dia 22/01/1945.

• Asp. da Reserva Frederico Gustavo dos Santos – abatido pela explosão de um depósito por ele destruído, no dia 22/04/1945.
• 1º Ten. Luiz Lopes Dornelles – morto em ação, em Scandiano, no dia 26/04/1945

Oficiais Vítimas de Acidentes

• 2º Ten. Dante Isidoro Gastaldoni, no dia 18/05/1944, em Aguadulce, Canal do Panamá.
• 2º Ten. Oldegard Olsen Sapucaia, no dia 07/11/1944, em Tarquinia, Itália.
• 1º Ten. Waldyr Pequeno de Mello e Rolland Rittmeister, no dia 19/11/1944, em Tarquinia, Itália.

DADOS OPERACIONAIS DO 1º GRUPO DE CAÇA NA ITÁLIA	
Total de missões	445
Total de saídas ofensivas	2.546
Total de saídas defensivas	4
Total de horas voadas em operações de guerra	5.465
Total de horas voadas	6.144
Bombas incendiárias	166
Bombas de fragmentação (260 lb)	16
Bombas de fragmentação (90lb)	72
Bombas de demolição (1.000lb)	8
Bombas de demolição (500lb)	4.180
Total de tonelagem de bombas lançadas	1.010
Munição calibre .50 (12,7 mm)	1.180.200
Foguetes ar-superfície	850
Total de gasolina, em litros	4.058.651

Fonte: Portal Poder Aéreo

SALDO DAS AÇÕES DO 1º GRUPO DE CAÇA NA ITÁLIA		
	Destruídos	**Danificados**
Aviões	2	9
Locomotivas	13	92
Transportes motorizados	1.304	686
Vagões e carros-tanques	250	835
Carros blindados	8	13
Pontes de estrada de ferro e de rodagem	25	51
Cortes em estrada de ferro e de rodagem	412	
Plataformas de triagem	3	
Edifícios ocupados	144	94
Acampamentos	1	4
Postos de comando	2	2
Posições de artilharia	85	15
Alojamentos	3	8

Fábricas	6	5
Diversas instalações	125	54
Usinas elétricas	5	4
Depósitos de combustíveis e munições	31	15
Depósitos de materiais	11	1
Destilarias de petróleo	3	2
Estações de radar		2
Embarcações	19	1
Navio		1
Viaturas hipomóveis	79	19

Fonte: Portal Poder Aéreo

Desmobilização

Com o fim da guerra na Europa, os expedicionários brasileiros foram convidados pelos governos aliados a compor a força de ocupação na Áustria. No entanto, o convite foi recusado pelo Estado Novo, uma vez que, terminado o conflito, a ditadura de Vargas passou a temer que uma oposição se formasse, promovida por membros da agora vitoriosa e prestigiosa FEB. Por isso, a Força Expedicionária Brasileira foi desmobilizada ainda em solo italiano. De acordo com depoimentos prestados por oficiais da reserva, logo após o conflito, ao voltarem ao Brasil, os soldados da FEB sofreram restrições. Os veteranos não militares, os quais deram baixa ao retornar, foram proibidos de usar condecorações ou peças do vestuário expedicionário em público. Já os veteranos militares profissionais foram transferidos para regiões de fronteira ou distantes dos grandes centros.

Apesar das restrições impostas aos expedicionários, mesmo com o restabelecimento da democracia no final de 1945, os feitos da FEB na guerra foram sendo esquecidos. Conforme observa o historiador Anderson Luiz Salafia, "hoje, muito pouco se conhece sobre as batalhas de Monte Castelo, Castelnuovo, Montese, Camaiore, e tantas outras regiões da Itália libertas pelos soldados brasileiros. Infelizmente, enquanto nossos veteranos têm total reconhecimento e gratidão da população italiana, aqui no Brasil continuamos ignorando seus feitos".

Depoimento

Trecho do diário do expedicionário Newton de Souza Ortman, do 9º Batalhão de Engenharia:

"Acordei às 4h30. Entreguei a cama de campanha e os 2 cobertores de lã que os americanos me emprestaram. Fiz a refeição da manhã: carne, passas cozidas, café com leite, pão e manteiga e ovo cozido. Ótima refeição!

"Às 7h, embarcamos com a mala A, eu e vinte oficiais, mais ou menos, em caminhões. Atravessamos a cidade de Nápoles e, após subirmos sempre, divisamos de lá de cima o notável porto e a bela baía de Nápoles. Após quarenta minutos de viagem, deixamos para trás a cidade napolitana. Reparei que os melhores edifícios estão ocupados pelos oficiais americanos. O caminhão levou-me através da Via Príncipe Humberto até à Estação de Caserta, distante de Nápoles duas horas e meia. Pelo caminho, encontramos de um lado e de outro da esplêndida estrada (tipo avenida) tropas inglesas, americanas e italianas, acampadas, que estão se preparando para entrar em ação. Após três horas de espera nesta estação semidestruída, tomamos um trem. Ocupei uma cabine com o Ten. Guido (da minha turma e de cavalaria, que vai atuar como intérprete de alemão junto ao Q.G. do Gen. Mascarenhas de Morais). A cabine de 3ª classe de um trem alemão era incrível, incômoda. As portas desse carro abrem para fora. Teremos que dormir cada um sobre um banco de madeira esta noite. Isto é a guerra!

"Estamos num comboio de mais de 40 vagões (cheios de soldados brasileiros, americanos e ingleses) puxados por uma única máquina americana. Os comboios são: franceses, italianos, alemães e americanos. Vejam só!

"Após uma viagem cheia de paradas e saídas, chegamos à famosa cidade de Cassino, às 16h. Que destruição, meu Deus! Não ficou pedra sobre pedra. Já tinha visto destruição, mas como a que vi em Cassino, nunca! Vi, durante a viagem, pontes, pontilhões, trilhos, tudo destruído, mas como Cassino, só Cassino! Do Mosteiro só restaram paredes! Esse Mosteiro fica a mais de 300 metros de altura! O terreno em redor do monte é plano; do lado alemão havia fortins e mais fortins destruídos. Nunca vi tanta desolação!

"Antes que me esqueça, direi que a miséria e a pobreza imperam nas cidades italianas. As crianças pobres não podem usar sapatos, porque um par de sapatos custa 2000 liras para mais (1 lira = Cr$ 0,20). Um bife de carne custa Cr$ 80,00; uma galinha custa Cr$ 200,00! É uma coisa horrível essa miséria!

"Continuamos a viagem durante a noite toda. Comemos refeições conservadas em latas. Boa noite e até amanhã, se Deus quiser!"

A partir da entrada do Brasil na guerra, foram tomadas diversas medidas contra os estrangeiros que imigraram ao país. A proibição de rádios e falar em alemão, entre outras, era comum, e sua desobediência considerada "criminosa". O Departamento de Ordem Político-Social (DOPS) não distinguia nazistas de comunistas ou de integralistas. Todos que fossem alemães eram considerados nazistas, acusados de ser propagandistas, espiões, simpatizantes ou partidários dos nazistas. A permanência dos alemães nos cárceres variava em função das atitudes arbitrárias por parte das instituições policiais. Alguns, depois de detidos, não foram libertados até que se encerrasse o conflito mundial. Contudo, o tempo de encarceramento dos detidos era, em geral, de um dia para o outro. Quase sempre havia tortura psicológica como forma de pressionar os imigrantes.

Alguns dos detidos foram processados pelo Tribunal de Segurança Nacional, sendo que a maioria dos julgamentos ocorreu ao longo de 1943. Segundo a jornalista e escritora Silvia Costa, autora do estudo *Campos de Concentração* em Ponta Grossa, "no Laboratório de História da Universidade Estadual de Ponta Grossa [Paraná] foram encontrados processos-crime desta época. Certidões com declarações de várias pessoas falando a respeito de José Hoffmann, diretor e proprietário do jornal [local] *Diário dos Campos*, nas quais alguns depoentes o acusavam de ser nazista e de promover comícios em favor da Alemanha. E ainda, que Hoffmann teria feito apostas de que a Alemanha ganharia a guerra, além de dizer que ele usava o jornal para favorecer a Alemanha hitlerista. A empresa de jornal foi ameaçada. O processo rolou até o ano de 1945".

Esses estrangeiros "indesejados", especialmente alemães, eram detidos em campos de concentração. De acordo com a pesquisadora Priscila Perazzo, "outra dimensão da prisão dos alemães, a partir de 1942, quando os direcionamentos da política externa de Vargas levaram o Brasil ao alinhamento com os aliados e, consequentemente, à sua entrada na guerra, em 22 de agosto, foi a instalação dos 'campos de concentração'. Nesses campos ficavam internados muitos representantes da comunidade germânica no Brasil. Esses estavam presos, muitas vezes, pelo 'crime' de serem, simplesmente, alemães".

No Brasil, os campos de concentração já existiam antes da Segunda Guerra. Seguindo uma tendência estabelecida pelos britânicos durante a Guerra dos Bôeres, os primeiros campos foram instituídos no início do século 20. O primeiro foi criado na época da Revolta da Vacina, em 1904. Nesses campos ficaram internados os grevistas presos dos anos 1910 e os insurgentes das Revoltas tenentistas dos anos 1920. "O intuito dos campos de concentração durante a Segunda Guerra Mundial, no Brasil, não foi diferente dos da Alemanha: retirar os indesejáveis do meio social", escreve Silvia Costa. A legislação brasileira de regulamentação dos campos de concentração poderia ser elaborada pelos próprios estados, a partir de suas necessidades para a criação dessas unidades prisionais. Assim, alguns campos de concentração brasileiros assumiram a forma de colônias penais agrícolas. Outros foram criados a partir de adaptações de asilos, hospitais e cadeias. Segundo R. S. Rose, autor do estudo *Uma das*

Coisas Esquecidas: Getúlio Vargas e Controle Social no Brasil - 1930-1954, as colônias penais agrícolas estabelecidas pelo Estado Novo serviram de modelo para os campos de concentração que os alemães já estavam construindo no Reich. A partir de 1943, o número de prisioneiros políticos aumentou de maneira dramática, o que levou o governo a iniciar a construção de grande número de novos campos de concentração em regiões diferentes do País. A maioria dos prisioneiros de guerra – simpatizantes, espiões reconhecidos e suspeitos – foi levada para o Rio de Janeiro. Ao chegarem à capital, os cativos eram divididos em dois grupos: os que passariam por mais interrogatórios ou que seriam vigiados, e os que seriam mandados imediatamente para uma das diversas prisões situadas em ilhas, como a colônia penal de Ilha Grande, no litoral do Rio de Janeiro.

Embora presos de guerra fossem tratados com as regras da Convenção de Genebra, enfrentaram diversas restrições. De acordo com a Cruz Vermelha, que prestava assistência aos prisioneiros de guerra e se encarregava das correspondências – que eram censuradas –, os presos queixavam-se de usar uniformes de outros detentos e de terem seus horários de lazer reduzidos em uma hora por dia. Em certos campos de concentração brasileiros, os prisioneiros tinham que trabalhar, o que feria a Convenção de Genebra. Aqueles que se recusavam a se submeter ao trabalho forçado eram trancados, ameaçados e alguns deles sofriam torturas, como ficar sem comer e beber.

Campos de Concentração Brasileiros

Campo de concentração	Localização	Destinação
Tomé-Açu	Acará, PA	Confinou os japoneses paraenses e de outros Estados, além de alemães suspeitos de espionagem.

Chã de Estevão	Paulista, PE	Criado em 22 de novembro de 1942, confinava principalmente alemães. Eram internadas com eles suas famílias, possuíam residências e recebiam visitas, apesar de existir segurança policial.
Colônia Penal Gen. Daltro Filho	Porto Alegre, RS	Aqui foram detidos alemães, italianos e japoneses. Trabalhavam 7 horas por dia em lavouras. Carregavam tijolos e realizavam outros serviços pesados.
Colônia Penal Cândido Mendes	Ilha Grande, RJ	
Presídio de Ilha das Flores	Rio de Janeiro, RJ	
Campo Militar para Prisioneiros de Guerra	Pouso Alegre, MG	
Estação Experimental de Produção Animal	Pindamonhangaba, SP	
Escola Prática de Agricultura	Guaratinguetá, SP	
Seção Agrícola da Penitenciária de Trindade	Florianópolis, SC	
Presídio Oscar Schneider	Joinville, SC	
Penitenciária do Distrito Federal	Niterói, RJ	
Presídio de Curitiba	Curitiba, PR	
Cadeia Pública da Praça Roosevelt	Ponta Grossa, PR	
Campo de Concentração de Bauru	Bauru, SP	
Campo de Concentração de Pirassununga	Pirassununga, SP	
Campo de Concentração de Ribeirão Preto	Ribeirão Preto, SP	

Fonte: Silvia Costa, Campos de Concentração em Ponta Grossa, Editora Progressiva, 2010.

PARTE III
AS BATALHAS E CAMPANHAS

1939

Batalha de Mława (1 a 3 de setembro)

Esse combate, em defesa da cidade de Mława, foi uma das batalhas da abertura da Invasão da Polônia e da Segunda Guerra Mundial, travada entre as forças do general polonês Krukowicz-Przedrzymirski e do general alemão Georg von Küchler.

Invasão da Polônia (1 de setembro a 6 de outubro)

Em 1 de setembro de 1939, os nazistas invadiram a Polônia. Dois dias depois, a Grã-Bretanha, a França, a Austrália e a Nova Zelândia declararam guerra à Alemanha. Os alemães não se intimidaram e continuaram sua campanha. A Blitzkrieg, ou "guerra-relâmpago", a estratégia alemã baseada no ataque rápido e de surpresa, tomou a Dinamarca e a Noruega, capturando importantes portos estratégicos. Em meio à crise, o primeiro-ministro Neville Chamberlain resignou e foi substituído por Winston Churchill, em 10 de maio de 1940. Naquele mesmo dia, as forças de Hitler invadiram Luxemburgo, Bélgica e Holanda.

Batalha do Atlântico (3 de setembro de 1939 a 8 de maio de 1945)

A Batalha do Atlântico marcou toda a Segunda Guerra Mundial. Travada no Atlântico entre as potências europeias do Eixo e os aliados, seu objetivo por parte dos nazistas era bloquear as rotas navais aliadas no Atlântico, buscando impedir a chegada de suprimentos ao Reino

Unido e à União Soviética e a chegada de tropas americanas no Teatro Europeu de Operações.

Ofensiva de Saare (7 a 16 de setembro)

Operação terrestre francesa em Saarland, Alemanha, durante os primeiros estágios da Segunda Guerra Mundial. Embora trinta divisões do exército francês tenham avançado até a fronteira – e em alguns casos para além dela –, a vitória rápida na Polônia permitiu que a Alemanha reforçasse suas linhas, interrompendo a ofensiva. As forças francesas se retiraram em meio a uma contraofensiva alemã, em 17 de outubro.

Batalha de Varsóvia (8 a 28 de setembro)

A Batalha de Varsóvia foi a maior batalha da invasão da Polônia pela Alemanha nazista. Além das tropas alemãs e polonesas, uma pequena milícia de civis voluntários de Varsóvia tomou parte nos combates. A ocupação alemã durou até a libertação da cidade, pelos aliados, em 17 de janeiro de 1945.

Batalha de Bzura (9 a 22 setembro)

A Batalha de Bzura, também conhecida como Batalha do Rio Bzura e Batalha de Kutno, foi um contra-ataque polonês em resposta à invasão da Polônia. Embora as forças polonesas tenham sido todas derrotadas, o ataque atrasou o avanço alemão, dando algum tempo para o exército polonês organizar suas defesas.

Batalha de Tomaszów Lubelski (17 a 20 de setembro)

A Batalha de Tomaszów Lubelski foi a segunda maior batalha da campanha alemã na Polônia, resultando numa vitória alemã.

Batalha de Kock (2 a 5 de outubro)

Batalha final na invasão da Polônia, travada na cidade que deu seu nome ao combate, concluiu a invasão alemã.

Navio com soldados britânicos e franceses derrotados sai de Dunquerque rumo à Inglaterra.

1940

Batalha dos Países Baixos (10 a 14 de maio)

A Batalha dos Países Baixos, parte da Batalha da França, foi a invasão alemã dos Países Baixos (Bélgica, Luxemburgo e Holanda) e da França. A batalha terminou logo após o bombardeio de Roterdã pela Luftwaffe. Os Países Baixos permaneceram sob ocupação alemã até 1945.

Batalha da Bélgica (10 a 29 de maio)

Também chamada de "Campanha Belga" ou "Campanha dos 18 Dias", fez parte da Batalha da França. Com essa operação, a Alemanha derrotou e ocupou a Bélgica de acordo com o Plano Amarelo (Fall Gelb). Foram 18 dias de fortes combates. O exército belga foi um adversário duro, mas sua derrota forçou a retirada dos aliados do continente europeu.

Batalha da França (10 de maio a 25 de junho)

A Batalha da França, ou Queda da França, foi resultado da operação de invasão da França e dos Países Baixos pela Alemanha nazista. Unidades blindadas alemãs flanquearam a Linha Maginot e derrotaram os defensores aliados. A Força Expedicionária Britânica foi evacuada em Dunquerque na Operação Dínamo, e muitas unidades francesas juntaram-se à Resistência ou passaram para o lado dos aliados.

Batalha de Dunquerque (25 de maio a 4 de junho)

Durante este confronto, uma grande força britânica e francesa ficou encurralada por uma divisão panzer alemã a nordeste da França, entre o canal costeiro de Calais. Mais de 300 mil soldados aliados foram evacuados por via marítima.

Batalha da Grã-Bretanha (10 de julho a 31 de outubro)

Depois da retirada das tropas britânicas de Dunquerque, Hitler iniciou uma campanha de bombardeio contra a Grã-Bretanha. Numa área maciça, a Luftwaffe, a Força Aérea Alemã atacou bases da Força Aérea Real Britânica, a RAF. Por volta de setembro de 1940, os alemães acharam que tinham destruído completamente a RAF e começaram a Blitz, como se chamou a série de bombardeios sobre Londres. Contudo, os britânicos resistiram até os nazistas interromperem a Blitz, em maio de 1941.

Ataque a Pearl Harbor, em dezembro de 1941.

1941

Operação Barbarossa (22 de junho a 5 de dezembro)

A Operação Barbarossa foi o nome-código da invasão nazista à União Soviética iniciada em 22 de junho de 1941. Ao longo da campanha, cerca de quatro milhões de soldados do Eixo invadiram a União das Repúblicas Socialistas Soviéticas, formando um front de 2,9 mil quilômetros – a maior força de invasão da História. Além do grande número de soldados, os nazistas também empregaram, nesse esforço, seiscentos mil veículos e cerca de setecentos mil cavalos. A operação foi motivada pelo desejo ideológico de Hitler de conquistar os territórios soviéticos, conforme ele havia estabelecido em seu livro *Mein Kampf*. A invasão marcou a rápida intensificação da guerra e promoveu a formação da coalizão aliada. Muitos críticos afirmam que a Operação Barbarossa foi o maior erro de Hitler.

Batalha de Smolensk (6 de julho a 5 de agosto)

Batalha pela cidade de Smolensk, a meio caminho de Moscou, concluindo a conquista da Bielorrússia. A operação terminou com vitória alemã.

Batalha de Kiev (23 de agosto a 26 de setembro)

Operação que efetuou um grande cerco de tropas soviéticas nos arredores de Kiev. Foi o maior cerco de tropas na História, com quase toda a Frente Sudoeste do Exército Vermelho cercada pelos alemães – cerca de 665 mil soldados. No entanto, pequenos grupos de tropas do Exército Vermelho conseguiram escapar. A Batalha de Kiev foi uma derrota sem precedentes do Exército Vermelho.

shutterstock

Soldados alemães atravessando o rio Dnieper, a partir do qual avançaram rumo a Kiev.

Batalha de Moscou (30 de setembro de 1941 a 20 de abril de 1942)

A Batalha de Moscou ocorreu ao longo de uma linha de combate de 600 quilômetros, entre outubro de 1941 e janeiro de 1942. O esforço defensivo soviético frustrou o ataque nazista à capital da União das Repúblicas Socialistas Soviéticas, um dos objetivos militares e políticos básicos das forças do Eixo.

Batalha de Sebastopol (30 de outubro de 1941 a 4 de julho de 1942)

O Cerco de Sebastopol resultou do objetivo da Wehrmacht de controlar a base de Sebastopol, no Mar Negro. Os alemães comandados por Erich von Manstein venceram a batalha.

Ataque a Pearl Harbor (7 de dezembro)

Até o final de 1941, apesar de não estarem ainda em guerra, os Estados Unidos colaboravam fornecendo ajuda financeira e suprimentos no esforço contra o Eixo. Quando o Japão invadiu o norte da Indochina, os Estados Unidos boicotaram os japoneses, cortando suprimentos. Não havia alternativa ao País do Sol Nascente a não ser lutar contra quem bloqueava seus planos de expansão. Em 7 de dezembro de 1941, uma força-tarefa japonesa atacou a Frota do Pacífico dos Estados Unidos, estacionada em Pearl Harbor, Havaí. O evento lançou os EUA na guerra.

Batalha da Tailândia (8 de dezembro)

Apesar da feroz resistência na região Sul do país, os japoneses levaram apenas um dia para invadir e ocupar a Tailândia.

Primeira Batalha de Guam (8 de dezembro)

Travada durante a Guerra do Pacífico nas Ilhas Marianas, teve como resultado a derrota da guarnição americana na ilha por forças japonesas. As tropas imperiais ocuparam a base e lá permaneceram até a Segunda Batalha de Guam, em 1944.

Batalha da Ilha Wake (8 a 23 de dezembro)

Iniciada simultaneamente ao ataque a Pearl Harbor, essa batalha foi travada no atol formado por Wake Island e suas ilhotas de Peale e Ilhas Wilkes. Foi um confronto pelo ar, terra e mar, com os fuzileiros navais desempenhando um papel de destaque em ambos os lados. Terminou com a vitória japonesa que passou a controlar a posição até o final da Guerra do Pacífico.

Batalha de Hong Kong (8 a 25 dezembro)

Também referida como a Queda de Hong Kong, foi uma das primeiras batalhas da Campanha do Pacífico, iniciada no mesmo dia do ataque à base naval dos Estados Unidos em Pearl Harbor. Hong Kong era, então, uma possessão do Império Britânico. Como o Japão não havia declarado guerra contra os britânicos, o ataque violou o direito internacional. Menos de duas semanas depois do início das operações, com a posição na ilha insustentável, a colônia britânica se rendeu aos japoneses.

Campanha da Malásia (8 de dezembro de 1941 a 31 de janeiro de 1942)

A Campanha da Malásia assistiu ao confronto de forças dos aliados e do Eixo na Malásia britânica. As operações foram dominadas por batalhas terrestres, com pequenas escaramuças no início da ação. Para as forças britânicas, indianas, australianas e malaias que defenderam a colônia, a campanha foi um desastre total. A batalha é notável pelo uso de tropas ciclistas pelos japoneses, o que permitiu que os soldados transportassem mais equipamento e se movessem com maior rapidez através de terrenos de mata fechada.

Batalha de Midway.

1942

Batalha de Singapura (7 a 15 de fevereiro)

A Batalha de Singapura foi, na verdade, um cerco a essa cidade-estado insular. Durante quase duas semanas, os sitiados resistiram como puderam aos ataques dos japoneses, procurando sabotar e destruir as principais estruturas que os inimigos pudessem aproveitar e, por fim, renderam-se.

Batalha do Estreito de Badung (noite de 19 e madrugada de 20 de fevereiro)

A Batalha do Estreito de Badung foi travada por navios aliados e da Marinha Imperial Japonesa. O confronto testemunhou a considerável superioridade da marinha japonesa.

Batalha do Mar de Java (27 de fevereiro)

Nessa batalha, ocorrida no início da Guerra do Pacífico, os aliados que sofreram uma grande derrota ao largo das costas da Indonésia e da Nova Guiné, em 27 de fevereiro, revidaram nos dias subsequentes promovendo outras batalhas menores, como a Batalha do Estreito de Sonda, o que fez desta a maior batalha naval de superfície ocorrida até então desde a Primeira Guerra Mundial.

Batalha de Java (28 de fevereiro a 12 de março)

A Batalha de Java, ou Invasão de Java, ou ainda Operação J, no Teatro do Pacífico. Ocorreu nessa ilha entre o Império do Japão e os aliados. Em seu término, os comandantes aliados tiveram de assinar uma rendição formal.

Batalha do Corregidor (5 e 6 de maio)

A Batalha de Corregidor foi o ponto culminante da campanha militar do Japão, garantindo ao país a conquista das Filipinas. Com a queda de Bataan, o forte da Ilha de Corregidor, localizada na entrada da Baía de Manila, capital das Filipinas, foi o último bastião da defesa aliada contra a invasão japonesa do país. O forte não resistiu, porém, e a batalha tornou-se uma das piores derrotas militares dos EUA.

Batalha de El Alamein (1 a 27 de julho)

A Primeira Batalha de El Alamein foi travada pelas forças nazistas comandadas pelo general Erwin Rommel e pelas forças inglesas comandadas por Claude Auchinleck. O confronto foi concluído com a primeira importante vitória dos aliados na África.

Batalha de Midway (4 a 7 de julho)

Em junho de 1942, os japoneses tentaram invadir o Havaí, mas o plano foi interceptado, e os americanos destruíram grande parte da frota nipônica na Batalha de Midway, considerada o confronto naval mais importante da Campanha do Pacífico. Depois dessa derrota, os americanos buscaram recapturar diversas ilhas no Pacífico.

Campanha de Kokoda (21 julho a 16 de novembro)

A Campanha da Trilha de Kokoda consistiu em uma série de batalhas entre julho a novembro de 1942 entre tropas japonesas e aliadas, principalmente forças australianas, no então território australiano da Papua.

Batalha do Stalingrado (17 de julho de 1942 a 2 de fevereiro de 1943)

Na primavera de 1942, Hitler ordenou o cerco a Stalingrado, um dos momentos mais dramáticos do conflito. Marcada por sua extrema brutalidade e desrespeito às perdas militares e civis de ambos os lados, a ofensiva alemã sobre a cidade de Stalingrado, a batalha dentro da cidade e a contraofensiva soviética destruíram todo o 6º Exército Alemão e outras forças do Eixo. No início de 1943, os soviéticos venceram a Batalha de Stalingrado, e a Alemanha começou a desmoronar.

Batalha de Guadalcanal (7 de agosto de 1942 a 9 de fevereiro de 1943)

A Batalha de Guadalcanal, ou Campanha de Guadalcanal, foi travada em terra, ar e mar por americanos, australianos e japoneses na ilha de Guadalcanal, no arquipélago das Ilhas Salomão. Foi a primeira grande ofensiva realizada pelos aliados na Guerra do Pacífico após o ataque a Pearl Harbor e à Batalha de Midway e a primeira vitória terrestre aliada nessa campanha.

Segunda Batalha de Alamein (23 de outubro a 11 de novembro)

A Segunda Batalha de El Alamein foi o início da derrota das forças do Eixo na África do Norte. A vitória britânica levou o primeiro-ministro Winston Churchill a afirmar que "este não é o fim, não é nem o começo do fim, mas é, talvez, o fim do começo". Após a guerra, Churchill escreveu: "Antes de Alamein, nunca tivemos uma vitória, depois de Alamein, nunca tivemos uma derrota".

Operação Tocha (8 a 10 de novembro)

Com apoio dos americanos, os aliados lançaram a Operação Tocha. Na campanha, combateram forças da República de Vichy, que mudaram de lado e passaram a auxiliar os aliados, os quais cercaram as forças do Eixo no norte da Tunísia e forçaram a rendição. Desse modo, a Operação Tocha cumpriu seus objetivos de assegurar a vitória no Norte da África e introduzir as forças armadas americanas na luta contra os nazistas. A operação abriu uma segunda frente de batalha que obrigou o exército alemão a deslocar tropas do front soviético, dando aos russos a oportunidade de se reorganizarem. A vitória dos aliados no Norte da África levou à realização da campanha italiana, que culminou com a queda do governo fascista e a eliminação de um importante aliado dos alemães.

Batalha Naval de Guadalcanal (12 a 15 de novembro)

Também chamada de Terceira e Quarta Batalha de Savo Island, Batalha de Solomons, Batalha de Sexta-Feira 13, foi palco da morte dos únicos dois almirantes da marinha americana a serem vitimados num engajamento. No início de novembro de 1942, os japoneses organizaram um comboio de transporte para levar sete mil soldados para Guadalcanal para tentar, mais uma vez, retomar à base aérea. Na batalha, ambos os lados perderam vários navios. Aviões aliados também afundaram a maior parte dos transportes de tropas japonesas e impediram a maioria dos soldados inimigos e equipamentos de alcançar Guadalcanal. A batalha foi uma vitória estratégica para os EUA e seus aliados.

Fuzileiros navais americanos invadem Tarawa, em novembro de 1943.

1943

Levante do Gueto de Varsóvia (19 de abril a 16 de maio)

O Levante do Gueto de Varsóvia foi um ato de resistência no Gueto de Varsóvia, na Polônia. Com o envio de 300 mil das 380 mil pessoas do gueto para o campo de extermínio de Treblinka, onde foram assassinadas imediatamente após a sua chegada, o restante dos habitantes do gueto sabia o que os esperava e muitos deles preferiam morrer lutando. A revolta foi esmagada pelo Gruppenführer da SS, Jürgen Stroop.

Invasão Aliada da Sicília (9 de julho a 17 de agosto)

A Operação Husky, a invasão da Sicília pelos aliados, foi uma campanha bem-sucedida na qual as potências ocidentais tomaram e ocuparam esta importante ilha no Mediterrâneo. Foi a primeira etapa da invasão da Itália. A operação contou com um grande desembarque anfíbio e lançamento de tropas paraquedistas, seguido de seis semanas de intensos combates no solo. A deterioração da resistência armada italiana levou, entre outros motivos, os italianos a se rebelar e derrubar seu ditador, Benito Mussolini.

Segunda Batalha de Smolensk (7 agosto a 2 outubro)

A Segunda Batalha de Smolensk foi uma ofensiva soviética decisiva. Embora tenha conseguido avançar menos de 250 quilômetros além das linhas inimigas, com a vitória a URSS, repeliu os nazistas de Moscou e dividiu as forças alemãs. Ao longo do avanço, os soviéticos tomaram conhecimento dos crimes de guerra e da destruição provocada pelos nazistas no território ocupado.

Invasão Aliada da Itália (3 a 17 de setembro)

A Invasão da Itália pelos aliados foi realizada por soldados do 15º Grupo de Exército comandados pelo general Harold Alexander. O 15º Grupo era formado por unidades do 5º Exército Americano, do general Mark Clark, e do 8º Exército Britânico, do general Bernard Montgomery. As principais forças desembarcaram em Salerno na Operação Avalanche, enquanto forças adicionais desembarcavam na Calábria e em Tarento. Uma feroz luta se seguiu por 13 dias e, apesar dos intensos e determinados contra-ataques alemães, os aliados conquistaram seus objetivos.

Batalha de Tarawa (20 a 23 de novembro)

A Batalha de Tarawa ou de Taraua, na região central do Teatro do Pacífico, foi a segunda grande ação ofensiva terrestre dos Estados Unidos nessa frente. Aqui, como, de fato, em todas as batalhas travadas contra os japoneses, os americanos enfrentaram grande resistência. Os 4,5 mil japoneses entrincheirados no atol, bem armados e treinados, lutaram praticamente até o último homem, causando mais de 3,1 mil baixas entre os inimigos, o maior número de mortos e feridos, proporcionalmente ao total de soldados envolvidos, que os EUA sofreram em toda a guerra.

Batalha de Makin (20 e 24 de novembro)

A ocupação da ilha de Makin custou mais vidas para a Marinha Americana do que para o pessoal em terra. Apesar da superioridade em homens e armas, as forças dos EUA tiveram dificuldade para derrotar os defensores da ilha. Apesar do grande número de óbitos do lado americano, 763, os japoneses tiveram um número de perdas muito maior, com sua guarnição na ilha completamente aniquilada.

Tropas americanas pousam na Normandia, no Dia D.

1944

Batalha de Monte Cassino (17 de janeiro a 19 de maio)

A Batalha de Monte Cassino, também chamada de Batalha de Roma ou Batalha de Cassino, foi uma série de quatro combates ferozes travados entre os Aliados e os alemães pela conquista de Roma. Os aliados tiveram sucesso em romper a linha de defesa, abrindo caminho para conquistar Roma.

Batalha da Normandia (6 de junho a 22 de agosto)

A Operação Overlord, o nome-código da Batalha da Normandia, deu início à bem-sucedida invasão da Europa Ocidental, ocupada pelos alemães desde o começo da guerra. A Operação Netuno inaugurou a batalha com a série de desembarques da Normandia, no Dia D (6 de junho). Um ataque aéreo de 1,2 mil aviões precedeu um desembarque anfíbio, envolvendo mais de 5 mil embarcações transportando cerca de 160 mil homens que cruzaram o canal da Mancha. Até o final de agosto, mais de três milhões de aliados foram enviados à França.

Operação Bagration (23 de junho a 29 de agosto)

Operação Bagration, nome-código da Ofensiva Bielorrussa que resultou na total expulsão das tropas alemãs da República Socialista Soviética da Bielorrússia e Polônia oriental. Foi a derrota mais calamitosa do exército da Alemanha na Segunda Guerra Mundial. O nome da operação foi uma homenagem ao príncipe Pyotr Bagration, general das forças russas que foi ferido mortalmente na Batalha de Borodino, contra Napoleão Bonaparte.

Segunda Batalha de Guam (21 julho a 10 agosto)

A Segunda Batalha de Guam resultou na recaptura da ilha, território dos EUA nas ilhas Marianas capturado pelos japoneses em 1941.

Batalha de Tinian (24 de julho a 1 de agosto)

Outra ilha das Marianas, foi tomada ao custo dos nove mil soldados da guarnição japonesa, que foi toda eliminada. A ilha, como Saipan e Guam, tornou-se base da Força Aérea.

Levante de Varsóvia (1 de agosto a 2 de outubro)

Durante o Levante de Varsóvia, o Armia Krajowa, o Exército Clandestino Polonês tentou libertar Varsóvia dos nazistas. Foi uma ação coordenada com os soviéticos, parte de uma revolta nacional, a Operação Tempestade, que deveria durar alguns dias, até a chegada do Exército Soviético. Contudo, o avanço soviético foi interrompido e, embora a resistência polaca tenha continuado a lutar por pouco mais de dois meses, o levante acabou sendo sufocado pelas forças alemãs. Não se conhece o número exato de baixas, mas estima-se que aproximadamente 16 mil integrantes da resistência polonesa foram mortos e seis mil foram gravemente feridos; entre 150 e 200 mil civis morreram, a maioria vítimas de massacres executados por tropas do Eixo. Do lado alemão, calcula-se que foram aproximadamente 16 mil soldados mortos.

Operação Dragão (15 de agosto a 14 de setembro)

A invasão aliada do Sul da França, depois da invasão da Normandia e da retirada dos alemães para a linha Siegfried, contou com a Resistência Francesa que teve importante atuação na execução da operação.

Batalha de Peleliu (15 de setembro a 27 de novembro)

A Batalha de Peleliu, codinome Operação Stalemate II, foi um combate sangrento no Teatro de Operações do Pacífico entre americanos e japoneses pela captura de uma pista de pouso em uma pequena ilha de coral. "A maior [batalha] de toda a história dos Marines", conforme o Museu Nacional dos Fuzileiros, Peleliu é considerada uma das ações militares mais controversas da história americana por causa do valor estratégico questionável da ilha e do alto número de baixas. Com efeito, Peleliu teve a maior média de mortes entre todas as batalhas travadas na Guerra no Pacífico.

Batalha de Arnhem (17 a 26 de setembro)

Grande combate travado entre as forças do exército alemão e das tropas aliadas nas cidades holandesas de Arnhem, Oosterbeek, Wolfheze, Driel pela reconquista desse território. A resistência alemã foi tenaz e, depois de nove dias de combate intenso, o que sobrou das unidades paraquedistas britânicas recuou na chamada Operação Berlim. Os aliados não conseguiram avançar muito na Holanda, e as divisões paraquedistas britânicas sofreram pesadas baixas – estimadas em 75% de sua força.

Batalha da Floresta de Hürtgen (19 de setembro de 1944 a 10 de fevereiro de 1945)

A série de confrontos travados entre americanos e nazistas na floresta de Hürtgen, na fronteira entre a Bélgica e a Alemanha, tornaria-se a batalha mais longa travada em solo alemão durante toda a guerra e também a batalha mais longa já lutada pelo exército norte-americano. Os engajamentos em Hürtgen custaram ao 1º Exército Americano 33 mil baixas e 28 mil aos alemães comandados por Walter Model. O alto preço de Hürtgen levou os aliados a se referirem ao evento como "uma derrota de primeira magnitude", creditada ao talento do general nazista Model.

Batalha de Aachen (2 a 21 de outubro)

Esta batalha, travada na cidade alemã de mesmo nome, aconteceu quando a Wehrmacht recuou até a fronteira alemã depois de ter sido derrotada na França. Chegando até a Linha Siegfried, onde reconstituíram parcialmente suas forças. Os americanos cercaram, então, a cidade, defendida pelo LXXXI Corpo de Exército Alemão. A 1ª e a 30ª Divisões de Infantaria Americanas, apoiadas por outras unidades que participaram da batalha sofreram pelo menos cinco mil baixas, enquanto os alemães perderam pouco mais que esse número e tiveram cerca de 5,6 mil homens aprisionados.

Batalha do Golfo de Leyte (23 a 26 de outubro)

Travada nas águas ao redor da ilha de Leyte, nas Filipinas, a Batalha do Golfo de Leyte foi a maior batalha naval da história contemporânea, envolvendo combates correlacionados: Batalha do Mar de Sulu, Batalha do Estreito de Surigao, Batalha do Cabo Engaño e Batalha de Samar. Leyte foi, também, o último grande confronto naval da II Guerra Mundial, uma vez que, depois dessa derrota, a Marinha Imperial Japonesa não tinha mais condições de reunir uma força naval significativa. Nessa batalha, os japoneses lançaram mão, pela primeira vez na guerra, de ataques suicidas realizados por pilotos kamikazes em aviões carregados de explosivos.

Batalha de Monte Castello (24 de novembro de 1944 a 21 de fevereiro de 1945)

A Batalha de Monte Castelo, travada ao final da Segunda Guerra Mundial entre as tropas aliadas e forças alemãs, foi a primeira que a Força Expedicionária Brasileira (FEB) participou, marcando sua estreia na guerra. A batalha arrastou-se por três meses, durante os quais se efetuaram seis ataques, com grande número de baixas brasileiras.

Operação Rainha (16 de novembro a 16 de dezembro)

Essa ofensiva começou em 16 de novembro de 1944, com um dos mais pesados bombardeios aliados da guerra. No entanto, o avanço aliado foi inesperadamente lento por conta da resistência alemã, especialmente na Floresta de Hürtgen. Em meados de dezembro, os aliados finalmente chegaram ao Rur, seu objetivo, mas os alemães lançaram uma ofensiva, a Wacht am Rhein, que levou à Batalha das Ardenas, impedindo a ação aliada na Alemanha até fevereiro 1945.

Batalha das Ardenas (16 de dezembro de 1944 a 25 de janeiro de 1945)

A Batalha das Ardenas foi a grande contraofensiva alemã na Europa Ocidental na floresta das Ardenas, na Valônia (Bélgica), também abrangendo áreas da França e Luxemburgo. As forças aliadas foram pegas completamente de surpresa, com suas linhas muito espalhadas enfrentando uma força inimiga inicialmente superior. Lutas intensas em meio ao frio e o terreno que favorecia a defesa atrasaram os alemães. Os Os reforços aliados, incluindo o poderoso 3º Exército do general americano George Patton e, com a melhoria das condições climáticas, a esmagadora superioridade aérea, permitiu que as forças alemãs e suas linhas de suprimentos fossem aniquiladas, determinando o fracasso da ofensiva. Apesar do sucesso dos aliados, o preço foi alto: os americanos sofreram entre 70 a 90 mil baixas, das quais 19 mil foram óbitos, o que fez da Batalha das Ardenas a mais sangrenta para os americanos na Segunda Guerra.

Soldados americanos deixando um LCT para invadir Omaha Beach no Dia D (1944).

Fuzileiros na entrada da caverna onde os soldados japoneses estão escondidos.

1945

Batalha de Manila (3 de fevereiro a 3 de março)

Travada entre americanos, filipinos e japoneses pela posse da capital das Filipinas, a Batalha de Manila foi o maior combate urbano da Guerra do Pacífico. A ação encerrou o domínio japonês de três anos nas Filipinas ao preço de um banho de sangue e da devastação total de Manila.

Batalha de Iwo Jima (19 de fevereiro a 26 de março)

Depois de libertar as Filipinas, os aliados atacaram o Japão. Os fuzileiros americanos tomaram a ilha de Iwo Jima na Operação Detachment em fevereiro de 1945 e, em seguida, Okinawa. Durante a batalha, os japoneses empregaram pilotos suicidas, os kamikazes. Mesmo assim, foram derrotados, e os EUA conquistaram o controle de Iwo Jima e dos campos aéreos localizados na ilha.

Operação Despertar da Primavera (6 a 16 de março)

A Operação Frühlingserwachen, ou, em português, "Despertar da Primavera" foi uma grande ofensiva militar alemã lançada na Hungria, na Frente Oriental. O ataque se concentrou na área do lago Balaton, na Hungria, onde estavam localizadas as últimas reservas de petróleo dos alemães. Apesar do sucesso inicial da ofensiva devido ao efeito do ataque surpresa, os soviéticos se reagruparam rapidamente e lançaram uma forte contraofensiva, repelindo os alemães, que bateram em retirada. Os soviéticos continuaram seu avanço na Hungria, que viria a capitular poucas semanas após o fracassado ataque.

Batalha de Okinawa (1 de abril a 22 de junho)

Esta batalha recebeu seu nome da ilha no arquipélago de Ryukyu onde foi travada. Foi o maior ataque anfíbio da Campanha do Pacífico e a maior batalha marítima-terrestre-aérea da História. Okinawa foi também a última maior batalha da guerra. Em Okinawa havia uma grande população, e as baixas civis na batalha foram de pelo menos 130 mil. Os americanos sofreram mais de 72 mil baixas, das quais 15,9 mil foram mortos ou desaparecidos. Entre os japoneses, as baixas atingiram a cifra de 107 mil soldados mortos ou capturados. Muitos entre os mortos preferiram cometer suicídio a serem capturados.

Batalha de Berlim (16 de abril a 2 de maio)

A Operação de Ofensiva Estratégica de Berlim promovida pela União Soviética foi a última grande ofensiva do Teatro Europeu na Segunda Guerra. Teve início quando o Exército Vermelho rompeu a linha alemã em consequência da Ofensiva Vistula-Oder, avançando rapidamente até uma posição a 60 quilômetros a leste de Berlim. A partir de então, dois grupos do exército soviético atacaram a capital alemã em duas frentes: uma ao leste e outra ao sul. Ao mesmo tempo, uma terceira força soviética derrotou as tropas alemãs posicionadas ao norte de Berlim, seguida da invasão da cidade pelos soviéticos. Foi uma das batalhas mais sangrentas da Segunda Guerra. As forças soviéticas tiveram 81.116 óbitos durante toda a operação, e 280.251 feridos na ofensiva, além de perderem cerca de dois mil veículos blindados. As baixas alemãs são contraditórias. Os soviéticos afirmaram ter matado 458.080 e capturado 479.298, os alemães afirmam que o número de mortes ficou entre 92 e 100 mil e estimaram em 125 mil o número de civis mortos.

Batalha de Halbe (24 de abril a 1 de maio)

Na Batalha de Halbe, travada em território alemão como parte da invasão soviética, o 9º Exército Alemão, sob comando do coronel-general Theodor Busse, foi quase completamente destruído pelo Exército Vermelho. Depois de violentos combates, cerca de 30 mil soldados alemães conseguiram romper o cerco a que estavam submetidos e se reunir ao 12º Exército atrás das linhas. O restante da tropa foi morto ou capturado pelos soviéticos.

Ofensiva de Praga (6 a 11 de maio)

A ofensiva de Praga foi a última grande operação da União Soviética no cenário europeu da Segunda Guerra Mundial. A batalha ocorreu junto ao levante de Praga. Todos os soldados do Grupo de Exércitos do Centro alemão foram capturados ou mortos.

BIBLIOGRAFIA

COSTA, Silva. Campo de Concentração em Ponta Grossa. Curitiba: Progressiva, 2010.

BRAYARD, Florent. Auschwitz, enquête sur un complot nazi. Le Seuil, s/d.

BUCHANAN, Patrick. Churchill, Hitler and the Unnecessary War. s/l: Crow Forum, 2009.

CHURCHILL, Winston S. Memórias da Segunda Guerra Mundial. Rio de Janeiro: Nova Fronteira, 1995.

FRANK, Richard. Downfall: The End of Imperial Japanese Empire. Londres: Penguin, 2001.

HERSEY, John. Hiroshima. Tradução de Hildegard Feist. São Paulo: Cia das Letras, 2002.

HILBERG, Raul. The Destruction of the European Jews. New Haven: Yale University Press, 2003.

HOYT, Edwin P. Japan's War: The Great Pacific Conflict – 1853 - 1952. Nova York: McGraw-Hill, 1986.

MAZOWER, Mark. Hitler's Empire. Nazi Rule in Occupied Europe. Londres: Penguin, 2008.

ROPER, Trevor. Hitler's Secret Conversations. Nova York: Farrar, Straus e Young, 1953.

RYAN, Cornelius. A Bridge Too Far – The Classic History of the Greatest Battle of World War II. Nova York: Simon & Schuster,1995.

SILVEIRA, Joel. O Brasil na 2ª Guerra Mundial. Rio de Janeiro: Edições de Ouro,1976.

THOMAS, Gordon; WITTS, Max. Ruin from the Air. Nova York: Harper Collins, 1990.

ZIEMKE, Earl. The U.S. Army in the Occupation of Germany 1944-1946. Center of Military History United States Army: Washington, D.C., 2003.

ENCONTRE MAIS
LIVROS COMO ESTE